MENTOR-REPETITORIEN

Band 33

Differential-Rechnung I

Leitfaden

Von
Oberstudienrat Theo Kühlein

Mit 47 Abb

MENTOR VERLAG
MÜNCHEN

Zeichnungen auf den Seiten 29, 31, 36, 129, 130, 145, 149
von Walter Preiss

| *Auflage:* 15. 14. 13. 12. 11. | *Letzte Zahlen* |
| *Jahr:* 1981 80 79 78 77 | *maßgeblich* |

© *1958, 1977 by Mentor-Verlag Dr. Ramdohr KG, München*
Druck: Druckhaus Langenscheidt, Berlin-Schöneberg
Printed in Germany (WS) · ISBN 3-580-63331-7

Vorwort

Mit der Differential- und Integralrechnung findet der Mathematikunterricht in der höheren Schule seinen Abschluß und seine Krönung. Bei der Bearbeitung dieses interessanten Gebietes wurde besonderer Wert darauf gelegt, die Grundlagen und das Wesen der beiden Rechnungsarten anschaulich und doch exakt darzulegen und die wichtigsten Rechenregeln und Sätze zu entwickeln. Ein breiter Raum wurde den Anwendungen gewidmet, aus denen die große Bedeutung dieses Zweiges der Mathematik für die Behandlung naturwissenschaftlicher und technischer Probleme hervorgeht.

Das gesamte Stoffgebiet ist auf vier Bände verteilt (Differentialrechnung MR 33 und 34, Integralrechnung MR 35 und 36), wobei jeweils der erste Band als „Leitfaden" in die Materie einführt, während sich der zweite Band mit den „Anwendungen" befaßt. Jeder Band enthält am Schluß eine Übersicht der Formeln und Regeln.

Die Gliederung des vorliegenden Bandes ist aus dem „Inhalt" ersichtlich. Die in § 12 gebrachten „Übungsaufgaben", die vorwiegend angewandten Beispielen entnommen sind, geben reichlich Gelegenheit zum Einprägen der Regeln. Typischen Beispielen ist ein ausführlicher Lösungsgang beigegeben; hierbei ist beim Differenzieren der Funktion auf die Übungsaufgaben (Ü) verwiesen. Der Band ist reichlich mit Zeichnungen ausgestattet. Wo einer Aufgabe aus Raumgründen keine Abbildung beigegeben werden konnte, sollte der Benutzer dieses Repetitoriums nicht die kleine Mühe scheuen, eine Zeichnung selbst anzufertigen.

Die Beschäftigung mit der „höheren Analysis" setzt die gründliche Beherrschung des mathematischen Stoffes der Mittel- und Unterstufe voraus. Die Regeln der Algebra, das Auflösen von Gleichungen, der Funktionsbegriff gehören zu den unerläßlichen Vorkenntnissen. Hinweise auf die drei Algebra-Bände (MR 22 bis 24) erleichtern dem Leser das Ausfüllen etwa vorhandener Lücken. Gewandtheit und Sicherheit im Zahlenrechnen sollte auch in der höheren Mathematik nicht vernachlässigt oder gar durch logarithmisches Rechnen oder den Rechenschieber bzw. Taschenrechner verdrängt werden; deshalb wird gelegentlich auf die Bände „Rechnen" (MR 1 bis 3) verwiesen.

Theo Kühlein

Inhalt

§ 1. Grenzwerte (Zahlenfolgen, Häufungspunkt, Konvergenz, Summe einer Folge, geometrische Reihe, Exponentialreihe, transzendente Zahlen, Sätze über das Rechnen mit Grenzwerten) 7

§ 2. Funktionen. Stetigkeit (Nullstellen, Geltungsbereich, rationale Funktionen, Wertigkeit, Pol, Asymptote, gebrochene Funktionen, ausfüllbare Lücke, Funktionen mit Sprung, irrationale Funktionen) 22

§ 3. Die Ableitung einer Funktion (Kurventangente, Schreibweisen) 37

Regeln für das Differenzieren § 4 bis § 11

§ 4. Die Potenzregel. Formel (1) 43

§ 5. Konstanten-, Summen- und Kettenregel. Formeln (2) bis (6) 47

§ 6. Produkt- und Quotientenregel. Formeln (7) und (8) . . 51

§ 7. Umkehr- und Spiegelfunktion. Formel (9) 54

§ 8. Trigonometrische und zyklometrische Funktionen. Formeln (10) bis (19) 57

§ 9. Exponential- und Logarithmusfunktionen. Formeln (20) bis (24) 65

§ 10. Erweiterung der Kettenregel (äußere und innere Ableitung) 70

§ 11. Implizite Funktionen (Logarithmisches Differenzieren). Formel (25) 72

§ 12. Übungsaufgaben 75

§ 13. Fehlerrechnung. Differentiale. Formeln (26) bis (31) . 84

§ 14. Mittelwertsatz. Höhere Ableitungen. Formel (32) . . . 90

§ 15. Krümmungskreis einer Kurve. (Näherungsparabeln von MACLAURIN und TAYLOR). Formel (33) 92

§ 16. Unendliche Potenzreihen (Konvergenzkriterien, Reihen von TAYLOR und MACLAURIN). Formeln (34) bis (37) 107

§ 17. Minimum- und Maximumrechnung (Extreme, Wendepunkt, Sattelpunkt). Formel (38) 120

§ 18. Näherungsverfahren von NEWTON. Formel (39) 130

§ 19. Unbestimmte Ausdrücke. Formel (40) 137

§ 20. Normale und Enveloppe. Formel (41) 142

Anhang

    1. Der Binomische Satz 148

    2. Partialbruchzerlegung 149

    3. Einteilung der Funktionen 149

    4. Formeln und Regeln 150

Stichwortverzeichnis 153

Band 34 enthält:

§§ 21—29. Anwendungen der Minimum- und Maximumrechnung. § 30. Kurvendiskussionen. — §§ 31—34. Anwendungen der Mac-Laurin-Reihe (mit Berechnungen von Wurzeln, Logarithmen, trigonometrischen Funktionswerten und von π)

———————

Abkürzungen

MR 1 = Rechnen I (Bd. 1 der Repetitorien)
MR 2 = Rechnen II (Bd. 2)
MR 3 = Rechnen III (Bd. 3)
MR 13 = Ebene Trigonometrie I
MR 14 = Ebene Trigonometrie II
MR 22 = Algebra I (Bd. 22)
MR 23 = Algebra II (Bd. 23)
MR 24 = Algebra III (Bd. 24)
MR 26 = Analytische Geometrie I (Bd. 26)
MR 27 = Analytische Geometrie II (Bd. 27)
MR 34 = Differentialrechnung II (Bd. 34)
MR 35 = Integralrechnung I (Bd. 35)
MR 36 = Integralrechnung II (Bd. 36)

MATHEMATISCHE ZEICHEN

Auszug aus DIN 1302

$=$	gleich	Π	Produkt
$\equiv$	identisch gleich	$\sqrt[n]{}$	n-te Wurzel aus
$\neq$	nicht gleich, ungleich	i oder j	imaginäre Einheit
$\not\equiv$	nicht identisch gleich		$(= \sqrt{-1})$
$\sim$	proportional, ähnlich	π	Pi = LUDOLPHsche
$\approx$	angenähert, nahezu gleich (rund, etwa)		Zahl = 3,14159...
$\cong$	kongruent	∞	unendlich
$\hat{=}$	entspricht	lim	Limes
$\rightarrow$	gegen, nähert sich, strebt nach, konvergiert nach	$f(x)$	f von x
$<$	kleiner als	Δ	endliche Änderungen
$>$	größer als	d	vollständiges Differential
$\leqq$	kleiner oder gleich, höchstens gleich	$\int$	Integral
$\geqq$	größer oder gleich, mindestens gleich	$\int_a^b f(x)\,dx$	Integral $f(x)\,dx$ von a bis b
$\ll$	klein gegen	e	Grundzahl (Basis) der natürlichen Logarithmen
$\gg$	groß gegen		
$\parallel$	parallel	e^x	Exponentialfunktion von x
$\nparallel$	nicht parallel		
$\uparrow\uparrow$	gleichsinnig parallel	log	Logarithmus (allgemein)
$\uparrow\downarrow$	gegensinnig parallel		
$\perp$	rechtwinklig zu, senkrecht auf	lg	Zehnerlogarithmus (BRIGGSscher)
$\triangle$	Dreieck	ln	Natürlicher Logarithmus
$\varnothing$	Durchmesser		
$\measuredangle$	Winkel	$\sin \alpha$	Sinus von α
$\overline{AB}$	Strecke AB	$\cos \alpha$	Cosinus (Kosinus) von α
$\overset{\frown}{AB}$	Bogen AB	$\tan \alpha$	Tangens von α
arc z	Arcus von z	$\cot \alpha$	Cotangens (Kotangens) von α
$\lvert\varrho\rvert$	absoluter Betrag von ϱ	arcsin α	Arcussinus von α
!	Fakultät	$\sinh \alpha$	Hyperbelsinus von α
$\binom{n}{p}$	n über p	ϱ	Dichte (g/cm³)
Σ	Summe		

§ 1. Grenzwerte

1 Der Grenzwert-Begriff

Der Begriff „Grenzwert" spielt in der Differentialrechnung eine große Rolle. Er ist uns zum erstenmal bei der unendlichen geometrischen Reihe begegnet (MR 23, § 60). Während er dort anschaulich entwickelt wurde, soll er hier exakt formuliert werden.

> **Eine Zahlenfolge (kurz: Folge) ist eine abzählbare Menge von reellen Zahlen, die man auch die „Glieder" der Folge nennt.**

(1) 1 3 5 7··· ist die Folge der ungeraden Zahlen;

(2) 1 $\frac{1}{2}$ $\frac{1}{3}$ $\frac{1}{4}$ ··· ist die Folge der reziproken Werte der natürlichen Zahlen.

Die Glieder einer Folge werden mit kleinen lateinischen Buchstaben (meist a) mit einem Index bezeichnet:

$$a_1 \ a_2 \ a_3 \ \cdots \ a_n .$$

Zur Abkürzung bezeichnet man häufig eine Folge nur durch Angabe des $n$ten Gliedes. Für die obigen Folgen würde man also schreiben:

$$(1) \quad a_n = 2\,n - 1, \qquad (2) \quad a_n = \frac{1}{n} .$$

Aufgaben

1. Von den nachstehenden Folgen sind jeweils die ersten 4 Glieder anzugeben.

1.1. $a_n = \dfrac{1}{2^n}$: $\qquad \dfrac{1}{2} \qquad \dfrac{1}{4} \qquad \dfrac{1}{8} \qquad \dfrac{1}{16}$

1.2. $a_n = 0{,}1^n$: $\qquad 0{,}1 \quad 0{,}01 \quad 0{,}001 \quad 0{,}0001$

1.3. $a_n = 1{,}5^n$: $\qquad 1{,}5 \quad 2{,}25 \quad 3{,}375 \quad 5{,}0625$

1.4. $a_n = (-2)^n$: $\qquad -2 \quad +4 \quad -8 \quad +16$

2 Monotone Folgen

In einer monoton* zunehmenden (abnehmenden) Folge ist der absolute Betrag** jedes Gliedes größer (kleiner) als der des vorangehenden Gliedes:

---

* Monoton bedeutet hier „beständig".
** Unter dem absoluten Betrag einer Zahl versteht man den reinen Zahlenwert ohne Berücksichtigung des Vorzeichens; die Zahlen $+3$ und -3 haben den absoluten Betrag $|3|$.

Eine Folge heißt monoton $\left\{ \begin{matrix} \text{abnehmend} \\ \text{zunehmend} \end{matrix} \right\}$, wenn

$$|a_n| \gtreqless |a_{n+1}| \quad \text{oder} \quad |a_{n+1}| - |a_n| \lesseqgtr 0 \text{ ist.}$$

Die Folgen 1.1 und 1.2 sind monoton abnehmend, die Folgen 1.3 und 1.4* sind monoton zunehmend.

2. Der monotone Charakter der Folgen

2.1. $a_n = \dfrac{n+1}{n}$, **2.2.** $a_n = \dfrac{2n^2 - 1}{n^2 + 1}$, **2.3.** $a_n = \dfrac{n-1}{n^2}$

ist nachzuweisen. Die ersten 5 Glieder, beginnend mit $n = 1$, sind jeweils anzugeben.

Man berechnet das $(n+1)^{\text{te}}$ Glied a_{n+1}, indem man das n in a_n durch $n+1$ ersetzt:

2.1. $a_{n+1} = \dfrac{(n+1)+1}{n+1} = \dfrac{n+2}{n+1}$;

$$a_{n+1} - a_n = \frac{n+2}{n+1} - \frac{n+1}{n} = -\frac{1}{n(n+1)} < 0$$

Die Folge 2 1,5 1,333 1,25 1,2 ist monoton abnehmend,

2.2. $a_{n+1} = \dfrac{2(n+1)^2 - 1}{(n+1)^2 + 1} = \dfrac{2n^2 + 4n + 1}{n^2 + 2n + 2}$;

$$a_{n+1} - a_n = \frac{3(2n+1)}{(n^2+1)(n^2+2n+2)} > 0 \quad \text{(mon. zunehmend)}.$$

$$0,5 \quad 1,4 \quad 1,7 \quad 1,823 \quad 1,884$$

2.3. $a_{n+1} = \dfrac{n}{(n+1)^2}$; $a_{n+1} - a_n = -\dfrac{n^2 - n - 1}{n^2(n+1)^2} < 0$,

Die Folge 0 0,25 0,222 0,1875 0,16 ist monoton abnehmend**.

3 Nullfolgen

Eine Nullfolge ist eine Folge, bei der die absoluten Beträge der Glieder mit wachsendem n schließlich beliebig klein werden; sie streben gegen Null.

Wir grenzen um die Null ein Intervall von $-h$ bis $+h$ ab, etwa $h = \pm \dfrac{1}{100}$, und stellen fest, daß innerhalb dieses Intervalls unzählig viele Zahlen liegen:

* $|2| < |4| < |8| < |16|$.

** $a_1 = 0$; $a_2 = \dfrac{1}{4}$; von $a_3 = \dfrac{2}{9}$ an abnehmend.

Folge	außerhalb des Intervalls	auf der Intervallgrenze	innerhalb des Intervalls
	$h = \dfrac{1}{100}$		
1.1.	$\dfrac{1}{2}, \dfrac{1}{4}$ bis $\dfrac{1}{64}$	—	$\dfrac{1}{128}, \dfrac{1}{256}$ usw.
1.2.	0,1	0,01	0,001 usw.
2.3.	$0, \dfrac{1}{4}$ bis $\dfrac{97^{*}}{9604}$	—	$\dfrac{98^{*}}{9801}, \dfrac{99}{10000}$ usw.

Auch in dem enger gewählten Intervall $h = \pm \dfrac{1}{1000}$ liegen „noch" unzählig viele Zahlen!

4 Punktfolge und Häufungspunkt

Stellen wir eine Folge auf dem Zahlenstrahl dar, dann haben wir eine Punktfolge vor uns. In dem (der Deutlichkeit wegen größer gewählten) Intervall $h = \pm 0{,}1$ liegen unzählig viele Punkte.

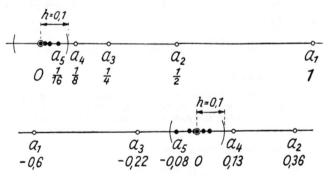

Abb. 1 u. 2. Punktfolgen mit Häufungspunkt

Abb. 1. $\dfrac{2}{2^{n}}$ Abb. 2. $(-0{,}6)^{n}$

---

* $a_{98} = \dfrac{97}{9604} > \dfrac{1}{100};\quad a_{99} = \dfrac{98}{9801} < \dfrac{1}{100}.$

Bei einer Nullfolge liegen innerhalb eines noch so klein gewählten Intervalls um den Nullpunkt unzählig viele Punkte. Der Nullpunkt ist der „Häufungspunkt" der Folge.

3. Auch die „alternierende" Folge (mit wechselnden Vorzeichen)

$$a_n = (-0,6)^n, \text{ also } - 0,6 + 0,36 - 0,216 + 0,1296 \cdots$$

ist eine Nullfolge mit dem Häufungspunkt 0 (Abb. 2 ; Intervall $\pm 0,1$).

4. Die Folgen **4.1.** $a_n = \dfrac{n+1}{n}$ und **4.2.** $a_n = \dfrac{2n^2 - 1}{n^2 + 1}$ sind

keine Nullfolgen. Bei der Darstellung auf dem Zahlenstrahl erkennen wir, daß die Punkte **1** bzw. **2** die Häufungspunkte sind (Aufgabe für den Leser). Es ist nämlich, wenn wir den Zähler durch den Nenner dividieren (MR 22, § 11):

4.1 $a_n = 1 + \dfrac{1}{n}$ 4.2 $a_n = 2 - \dfrac{3}{n^2 + 1}$

Grenzen wir in 4.2 um den Häufungspunkt 2 das Intervall $h = \pm \dfrac{1}{1000}$ ab, so liegen innerhalb dieses Intervalls alle Punkte, für die $\dfrac{3}{n^2 + 1} < h$, also $n > \sqrt{\dfrac{3}{h} - 1}$ ist, woraus man $n > 54$ findet. Und in der Tat ist

$$a_{55} = \frac{6049}{3026} = 1,999\,008 > 2 - 0,001 \, .$$

5 Der Grenzwert

Besitzen die Glieder einer Folge a_n einen Häufungspunkt a, so bilden die absoluten Beträge der Differenzen $|a - a_n|$ eine Nullfolge. Die Zahl a heißt dann der Grenzwert der Folge.

Für diese Aussage schreibt man:

$$\lim_{n \to \infty} a_n = a^*$$

(lies: limes a_n für n gegen Unendlich gleich a)

oder $$\lim_{n \to \infty} |a - a_n| = 0$$

oder auch kurz $a_n \longrightarrow a$ (lies: a_n strebt gegen a).

---

* limes (lat.) = Grenze.

Für eine Nullfolge ist $\lim\limits_{n \to \infty} a_n = 0$.

5. Wie heißt das n^{te} Glied der nachstehenden Folgen, und welchen Grenzwert haben sie?

5.1. $1 \quad \dfrac{3}{2} \quad \dfrac{5}{3} \quad \dfrac{7}{4}$; $\quad a_n = \dfrac{2\,n-1}{n} = 2 - \dfrac{1}{n}$; $\quad \lim a_n = 2$.

5.2. $\dfrac{2 \cdot 3}{1^2} \quad \dfrac{3 \cdot 5}{2^2} \quad \dfrac{4 \cdot 7}{3^2} \quad \dfrac{5 \cdot 9}{4^2}$;

$$a_n = \frac{(n+1)(2\,n+1)}{n^2} = 2 + \frac{3}{n} + \frac{1}{n^2} ; \quad \lim a_n = 2 .$$

5.3. $\dfrac{1}{2} - \dfrac{1}{4} + \dfrac{1}{8} - \dfrac{1}{16}$; $\quad a_n = -\dfrac{1}{(-2)^n}$; $\quad \lim a_n = 0$.

6 Konvergenz

6. Welche Folgen in den Aufgaben 1 bis 5 sind Nullfolgen, welche sind ebenfalls konvergent, welche sind divergent?

Nullfolgen sind   1.1;   1.2;   2.3;   3;   5.3.

Konvergent sind   2.1 ($\to 1$);   2.2 ($\to 2$);   4.1 ($\to 1$);

                     4.2 ($\to 2$);   5.1 ($\to 2$);   5.2 ($\to 2$).

Divergent sind   1.3;   1.4.

> **Eine Folge heißt konvergent, wenn sie einen Grenzwert besitzt; sie heißt divergent, wenn sie keinen Grenzwert hat.**

7 Beschränkte Folgen

> **Eine monoton zunehmende (abnehmende) Folge heißt nach rechts (links) beschränkt, wenn keines ihrer Glieder eine bestimmte endliche Zahl überschreitet (unterschreitet).**
>
> **Eine beschränkte Folge liegt auch dann vor, wenn alle Glieder zwischen zwei endlichen Zahlen $+z$ und $-z$ liegen.**

Die Folge 5.1 ist nach rechts beschränkt, da kein $a_n > 2$ ($a_{100} = 1,99$; $a_{10\,000} = 1,9999$); die Folge 5.2 ist nach links beschränkt, da kein $a_n < 2$ ($a_{100} = 2,0301$; $a_{10\,000} = 2,00030001$).

Die Folge 5.3 ist beschränkt, da für alle Glieder $-\dfrac{1}{2} < a_n \gtrless +\dfrac{1}{2}$.

Unsere bisherigen Betrachtungen lassen sich zusammenfassen in den

> **Satz von Weierstraß: Eine monoton zu- oder abnehmende beschränkte unendliche Folge ist konvergent, d.h. sie hat einen Grenzwert.**

(Der Beweis dieses aus der Anschauung gewonnenen Satzes geht über den Rahmen des in der höheren Schule gelehrten Stoffes.)

8 Summe einer Folge

Eine Reihe entsteht durch Summierung der Glieder einer Folge.

$$s_n = a_1 + a_2 + a_3 + \cdots + a_{n-1} + a_n = \frac{1}{2} + \frac{1}{4} + \frac{1}{8} + \cdots$$

Die **Teilsummen** einer Reihe:

$$s_1 = a_1 \qquad\qquad\qquad\qquad s_1 = \frac{1}{2}$$

$$s_2 = a_1 + a_2 \qquad\qquad\qquad s_2 = \frac{3}{4}$$

$$s_3 = a_1 + a_2 + a_3 \qquad\qquad s_3 = \frac{7}{8}$$

$$\vdots \qquad\qquad\qquad\qquad\qquad s_4 = \frac{15}{16}$$

$$s_n = a_1 + a_2 + a_3 + \cdots + a_n \qquad s_5 = \frac{31}{32}$$

bilden ihrerseits eine Folge: $s_1\ s_2\ s_3 \cdots s_n$

Unter der Summe einer unendlichen Reihe versteht man den Grenzwert (s), dem die Folge der Teilsummen zustrebt.

In dem Beispiel ist offenbar $s = 1$.

9 Die geometrische Reihe

Sie ist das bekannteste Beispiel für die Summierung der Glieder einer Folge (siehe auch MR 23).

$$s_n = a + aq + aq^2 + \cdots + aq^{n-1} = a\,\frac{q^n - 1}{q - 1} = a\,\frac{1 - q^n}{1 - q}$$

$$\text{für } q > 1 \qquad \text{für } q < 1$$

(Für $q = 1$ ist die Formel nicht anwendbar!)

Wir fragen: Hat die unendliche geometrische Reihe einen Grenzwert und beweisen zu diesem Zweck folgende „Formeln":

9.1 $\lim\limits_{n \to \infty} |\,q^n\,| = \infty$ **für** $|\,q\,| > 1$.

Es sei $q = 1 + h$ (wobei $h > 0$);

dann ist $q^2 = (1 + h)^2 = 1 + 2h + h^2 > 1 + 2h$,

$$q^3 = 1 + 3h + 3h^2 + h^3 > 1 + 3h.$$

Wir schließen daraus, daß

(I) $\qquad q^n > 1 + nh$.

Den Beweis führen wir durch „vollständige Induktion", d. h. durch Schließen von n auf $n + 1$. Das Verfahren erfolgt in drei Schritten.

1. Schritt: Die Behauptung (I) ist für $n = 3$ richtig (siehe oben).

2. Schritt: Wir nehmen an, die Ungleichung (I) sei für ein endliches n bewiesen, und zeigen, daß sie dann auch für $n + 1$ gilt.

$$q^{n+1} = q^n \cdot q > (1 + nh)(1 + h) = 1 + (n + 1)h + nh^2$$

(II) $\qquad q^{n+1} > 1 + (n + 1)h$.

In der Tat ergibt sich derselbe Ausdruck (II), wenn wir in (I) das n durch $n + 1$ ersetzen.

3. Schritt: Da die Behauptung für $n = 3$ gilt, so ist sie auch für $n = 4$, also auch für $n = 5$ usw. und damit für alle n gültig.

9.2 $\lim\limits_{n \to \infty} |q^n| = 0$ für $|q| < 1$.

Es sei $\qquad q = \dfrac{1}{1 + h}$ (wobei $h > 0$);

dann ist $\qquad q^n = \dfrac{1}{(1 + h)^n} < \dfrac{1}{1 + nh}$.

Mit $\lim\limits_{n \to \infty} \dfrac{1}{1 + nh} = 0$ wird auch $\lim |q|^n = 0$, für $|q| < 1$.

9.3 Für die geometrische Reihe gilt:

$$\lim\limits_{n \to \infty} s_n = s = \frac{a}{1 - q} \quad \text{für} \quad |q| < 1 .$$

Spalten wir $s_n = a \cdot \dfrac{1 - q^n}{1 - q} = \dfrac{a}{1 - q} - \dfrac{a}{1 - q} \cdot q^n$ in einen von n unabhängigen Summanden $\dfrac{a}{1 - q}$ und ein von n abhängiges „Restglied", so wird wegen 9.2:

$$\lim\limits_{n \to \infty} \frac{a}{1 - q} \cdot q^n = 0 ,$$

woraus die Behauptung folgt.

7. Welche der folgenden Reihen sind konvergent?

7.1. $\qquad s = 1 + \dfrac{1}{2} + \dfrac{1}{3} + \dfrac{1}{4} + \cdots + \dfrac{1}{n} + \cdots = \infty$.

Trotzdem die Glieder dieser Reihe eine Nullfolge durchlaufen, wächst die Reihe mit zunehmender Gliederzahl über jedes Maß hinaus (MR 23, § 61): sie ist divergent.

7.2. $\qquad s = \dfrac{1}{1 \cdot 2} + \dfrac{1}{2 \cdot 3} + \dfrac{1}{3 \cdot 4} + \cdots = \dfrac{1}{2} + \dfrac{1}{6} + \dfrac{1}{12} + \cdots$

1. Art. $\qquad s_1 = \dfrac{1}{2}, \quad s_2 = \dfrac{2}{3}, \quad s_3 = \dfrac{3}{4} \cdots$

Die $s_n = \dfrac{n}{n+1}$ bilden eine Folge mit dem **Grenzwert** $s = 1$.

2. Art. $\qquad a_n = \dfrac{1}{n(n+1)} = \dfrac{1}{n} - \dfrac{1}{n+1} = b_n - c_n$.

Summe der $b_n = \dfrac{1}{1} + \dfrac{1}{2} + \dfrac{1}{3} + \dfrac{1}{4} + \cdots \quad\Big|\ +$

Summe der $c_n = \dfrac{1}{2} + \dfrac{1}{3} + \dfrac{1}{4} + \dfrac{1}{5} + \cdots \quad\Big|\ -$

Summe der $a_n = 1$. Die Reihe ist konvergent.

7.3. $\qquad s = \dfrac{2}{1} + \dfrac{3}{4} + \dfrac{4}{9} + \dfrac{5}{16} + \cdots$, also $a_n = \dfrac{n+1}{n^2} = \dfrac{1}{n} + \dfrac{1}{n^2}$.

Da die Summe der $\dfrac{1}{n}$ divergiert (siehe 7.1), so ist die Summe der a_n erst recht divergent.

7.4. $\qquad s = 1 + \dfrac{1}{1!} + \dfrac{1}{2!} + \dfrac{1}{3!} + \dfrac{1}{4!} + \cdots$

Nach MR 23 wächst das Einheitskapital in einem Jahr bei n-maliger Verzinsung zu $100^0/_0$ an auf den Betrag

(I) $\qquad s_n = \left(1 + \dfrac{1}{n}\right)^n$, ($n$ ganz, positiv und endlich[*])

Mit dem Binomischen Satz (s. Anhang) erhält man schließlich

(II) $\quad s_n = 1 + \dfrac{1}{1!} + \dfrac{1}{2!}\left(1 - \dfrac{1}{n}\right) + \dfrac{1}{3!}\left(1 - \dfrac{1}{n}\right)\left(1 - \dfrac{2}{n}\right) + \cdots$

---

[*] Bei monatlicher Verzinsung ($n = 12$) ist $s_{12} = \left(1 + \dfrac{1}{12}\right)^{12} = 2{,}61$: Bei 100% wächst $1{,}-$ DM in 1 Jahr auf 2,61 DM an.

Wir untersuchen, ob diese Reihe einen Grenzwert $(n \rightarrow \infty)$ besitzt, wenn eine „Augenblicksverzinsung" erfolgt, das heißt bei stetigem Wachstum.

Wir vergleichen die s_n-Reihe (II) mit der folgenden v_n-Reihe:

$$\text{(III)} \qquad v_n = 1 + \frac{1}{1!} + \frac{1}{2!} + \frac{1}{3!} + \frac{1}{4!} + \cdots ,$$

Vom 3. Glied an sind alle Glieder der s_n-Reihe kleiner als die der v_n-Reihe:

$$s_n < v_n .$$

Nun vergleichen wir die v_n-Reihe mit einer Reihe g_n, die vom 4. Glied an statt der Fakultäten (3!, 4! usw.) Potenzen von 2 (2^2, 2^3 usw.) enthält:

$$g_n = 1 + 1 + \frac{1}{2} + \frac{1}{2^2} + \frac{1}{2^3} + \cdots$$

Da v_n größere Nenner besitzt als g_n, so ist

$$v_n < g_n ,$$

so daß $\qquad\qquad s_n < v_n < g_n .$

Und da die geometrische Reihe

$$g_n - 1 = 1 + \frac{1}{2} + \frac{1}{2^2} + \frac{1}{2^3} + \cdots = 2$$

den Grenzwert 2 hat, so ist $g_n = 3$; mithin

$$s_n < v_n < 3 .$$

Lassen wir in (II) $n \longrightarrow \infty$ gehen, so erhalten wir (III):

$$\lim_{n \to \infty} s_n = v_n < 3 .$$

Der Grenzwert der v_n-Reihe ist die **Eulersche Zahl e** (numerische Berechnung in MR 23, § 64):

$$e = 1 + \frac{1}{1!} + \frac{1}{2!} + \frac{1}{3!} + \cdots = 2{,}7\,18\,28\,18\,28\,459 \ldots$$

10 Das Restglied der e-Reihe

Um festzustellen, wie genau die Zahl e aus $n + 1$ Gliedern $\left(\text{also bis } \dfrac{1}{n!}\right)$ berechnet werden kann, schätzen wir das „Restglied" $\left(\text{d. i. die Summe aller nach } \dfrac{1}{n!} \text{ noch folgenden Glieder}\right)$ ab:

$$R = \frac{1}{(n+1)!} + \frac{1}{(n+2)!} + \frac{1}{(n+3)!} + \frac{1}{(n+4)!} + \cdots$$

$$= \frac{1}{(n+1)!}\left[1 + \frac{1}{n+2} + \frac{1}{(n+2)(n+3)} + \cdots\right].$$

Als Vergleichsreihe wählen wir eine geometrische Reihe G mit den kleineren Nennern $n + 1$, so daß $R < G$ ist:

$$G = \frac{1}{(n+1)!}\left[1 + \frac{1}{n+1} + \frac{1}{(n+1)^2} + \frac{1}{(n+1)^3} + \cdots\right].$$

Die Klammer hat wegen $q = \dfrac{1}{n+1} < 1$ einen Grenzwert:

$$G = \frac{1}{(n+1)!} \cdot \frac{1}{1 - \dfrac{1}{n+1}} = \frac{1}{(n+1)!} \cdot \frac{n+1}{n} = \frac{1}{n \cdot n!}.$$

Es ist also $\qquad\qquad R < \dfrac{1}{n \cdot n!}.$

8. Wie genau ist die Berechnung von s aus $n = 15$ Gliedern?

Für $n = 15$ (auf 16 Dezimalen) ist $R < \dfrac{1}{15 \cdot 15!} = 5,09 \cdot 10^{-14}$.

$s_{16} = 2{,}718\ 281\ 828\ 458\ 99\ 44$

$\underline{\qquad R < \qquad\qquad\qquad 5{,}09 \cdot 10^{-14}}$

also $e < 2{,}718\ 281\ 828\ 459\ 04\ 53$

$\underline{\dfrac{1}{16!} = \qquad\qquad\qquad 4{,}78 \cdot 10^{-14}}$

also $e > 2{,}718\ 281\ 828\ 459\ 04\ 22$

Der vorstehende Wert ist auf 14 Dezimalen genau.

11 Transzendente Zahlen

Die Zahl e erscheint als unendlicher nichtperiodischer Dezimalbruch (ebenso wie etwa $\sqrt{2}$). Während aber $\sqrt{2}$ als Lösung einer Gleichung mit rationalen Koeffizienten auftreten kann, z.B.

$$x^2 - 6x + 7 = 0, \quad x = 3 \pm \sqrt{2},$$

und deshalb **algebraische Zahl** heißt, genügt die Zahl e (ebenso die Zahl π) keiner algebraischen Gleichung. Beide Zahlen lassen sich nur als Grenzwert einer unendlichen Reihe gewinnen (siehe MR 34). Man bezeichnet sie deshalb als **transzendente Zahlen**. Die Transzendenz von e hat HERMITE (1873), die von π hat LINDEMANN (1882) nachgewiesen.

12 Sätze über das Rechnen mit Grenzwerten

Es sei k eine Konstante, ferner

$$\lim a_n = a \text{ oder } \lim |a_n - a| = 0$$
$$\text{und } \lim b_n = b \text{ oder } \lim |b_n - b| = 0.$$

12.1 Mit $a_n \longrightarrow a$ oder $|a_n - a| \longrightarrow 0$

strebt $k \cdot a_n \longrightarrow k \cdot a$ oder $|k a_n - k a| = k \cdot |a_n - a| \longrightarrow 0$, also

$$\lim (k \cdot a_n) = k \cdot \lim a_n.$$

12.2 Da mit $a_n - a$ und $b_n - b$ auch

$$(a_n - a) + (b_n - b) = (a_n + b_n) - (a + b)$$

und $\qquad (a_n - a) - (b_n - b) = (a_n - b_n) - (a - b)$

beliebig der Null zustreben, so ist

$$\lim (a_n \pm b_n) = a \pm b = \lim a_n \pm \lim b_n.$$

Der Grenzwert einer Summe (Differenz) ist gleich der Summe (Differenz) der Grenzwerte.

12.3 Multipliziert man die gegen Null strebenden Differenzen $a_n - a$ und $b_n - b$ mit beliebigen endlichen Zahlen, etwa mit $\dfrac{b_n + b}{2}$ und $\dfrac{a_n + a}{2}$, so strebt die Summe beider Produkte ebenfalls gegen Null:

$$(a_n - a)\, \frac{b_n + b}{2} + (b_n - b)\, \frac{a_n + a}{2} = a_n \cdot b_n - a \cdot b \,;$$

es ist also

$$\lim (a_n \cdot b_n) = a \cdot b = \lim a_n \cdot \lim b_n.$$

12.4 Multipliziert man ($b \neq 0$ vorausgesetzt!) die gegen Null strebenden Differenzen $a_n - a$ und $b_n - b$ mit b bzw. a, so strebt die Differenz beider Produkte und somit auch der Quotient

$$\frac{(a_n - a)\, b - (b_n - b)\, a}{b_n \cdot b} = \frac{a_n b - b_n a}{b_n \cdot b} = \frac{a_n}{b_n} - \frac{a}{b}$$

gegen Null; also ist

$$\lim \frac{a_n}{b_n} = \frac{a}{b} = \frac{\lim a_n}{\lim b_n}, \quad \text{für} \quad \lim b_n = b \neq 0.$$

Der Grenzwert eines Produktes (Quotienten) ist gleich dem Produkt (Quotienten) der Grenzwerte.

Beispiele.
$$\lim_{n \to \infty} \left(3 \cdot \frac{n+1}{n}\right) = 3 \cdot \lim_{n \to \infty} \frac{n+1}{n} = 3 \cdot 1 = 3$$

$$\lim_{n \to \infty} \left(\frac{1}{n} + \frac{2}{n^2}\right) = \lim \frac{1}{n} + \lim \frac{2}{n^2} = 0 + 0 = 0$$

$$\lim_{n \to \infty} \left(\frac{2\,n^2 - 1}{n^2 + 1} - \frac{n}{n+1}\right) = 2 - 1 = 1$$

$$\lim_{n \to \infty} \left(\frac{n^2 + 1}{n^2 - 1} \cdot \frac{2\,n + 1}{n}\right) = 1 \cdot 2 = 2$$

$$\lim_{n \to 0} \frac{3\,n^3 + 2}{n^2 - n + 1} = \frac{2}{1} = 2.$$

9. Die Regeln sind am Beispiel der geometrischen Reihen

$$s = 1 + \frac{1}{2} + \frac{1}{4} + \cdots + \frac{1}{2^n} \quad \text{und} \quad t = 1 + \frac{1}{3} + \frac{1}{9} + \cdots + \frac{1}{3^n}$$

für $n = 5$, 10, 15, ∞ zu veranschaulichen.

n	10	15	∞
s	1,99609	1,9998779	2
t	1,49992	1,4999996	1,5
$s + t$	3,49601	3,4998775	3,5
$s - t$	0,49617	0,4998783	0,5
$s \cdot t$	2,99398	2,9998169	3
$s : t$	1,33080	1,3332520	$1\frac{1}{3}$

10. Messen wir von mehreren verschieden großen Kreisen die Durchmesser $(2r)$ und die Umfänge (k), so erhalten wir bei allen Kreisen für das Verhältnis

$$\frac{\text{Kreisumfang}}{\text{Kreisdurchmesser}} = \frac{k}{2\,r}$$

den konstanten Wert 3,14, der mit π bezeichnet wird.

Wie kann man π genauer bestimmen? Wir zeichnen zu einem Kreis das einbeschriebene und das umbeschriebene Sechseck (Abb. 3). Dann ist der Umfang u_6 des einbeschriebenen Sechsecks kleiner und der Umfang U_6 des umbeschriebenen Sechsecks größer als der Kreisumfang k:

$$u_6 < k < U_6 .$$

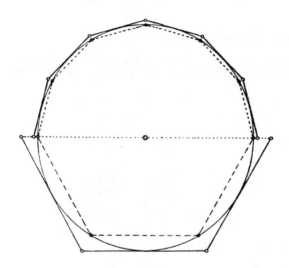

Abb. 3. Der Kreisumfang als Grenzwert

Für die beiden Zwölfecke* ist entsprechend

$$u_{12} < k < U_{12} .$$

Zugleich erkennt man, daß die beiden Zwölfecke näher an den Kreis herangekommen sind als die beiden Sechsecke. Für die beiden 24-Ecke tritt eine weitere Annäherung ihrer Umfänge an den Kreisumfang ein.

---

* Der Deutlichkeit wegen sind die Sechsecke nur im unteren Teil, die Zwölfecke nur im oberen Teil der Abbildung gezeichnet.

Wir denken uns jetzt die Seitenzahl der ein- und umbeschriebenen Vielecke immer weiter verdoppelt; wir bezeichnen sie allgemein als n-Ecke und ihre Umfänge mit u_n und U_n. Dann ist

$$u_6 < u_{12} < \cdots < u_n < k < U_n < \cdots < U_{12} < U_6 \, .$$

Der Kreisumfang wird mithin in immer engere Grenzen eingeschlossen. Für diese Aussage schreiben wir

$$\lim_{n \to \infty} u_n = k \, , \quad \text{ebenso} \quad \lim_{n \to \infty} U_n = k \, ,$$

oder
$$\lim \frac{u_n}{2\,r} = \lim \frac{U_n}{2\,r} = \pi \, .$$

Die Berechnung der Vielecksumfänge wird in der Geometrie durchgeführt; hier sollen nur die Ergebnisse mitgeteilt werden.

n-Eck	$u_n : 2\,r$	$U_n : 2\,r$
6	3,0000	3,4641
12	3,1058	3,2154
24	3,1326	3,1597
48	3,1394	3,1461
96	3,1410	3,1427
192	3,14145	3,14187
384	3,14156	3,14166
768	3,141584	3,141610
1536	3,1415905	3,1415971

Hiernach ist $\qquad 3{,}14159_{05} < \pi < 3{,}14159_{71} \, ;$

die Berechnung ist auf 5 Dezimalen genau.

In MR 34 wird gezeigt, wie mit Hilfe der Differentialrechnung die Berechnung von π auf jede gewünschte Genauigkeit in viel eleganterer Weise gelingt.

11. Das Volumen einer quadratischen Pyramide soll durch eine Grenzwertbetrachtung ermittelt werden.

Wenn uns für den Bau einer Pyramide nur quadratische Platten zur Verfügung stehen, dann müssen wir die Platten nach oben hin immer kleiner machen. Die Pyramide besteht dann aus einer größeren Anzahl treppenförmig angeordneter Schichten. Je dünner die einzelnen Platten sind, desto weniger ausgeprägt ist der Stufencharakter der Pyramide, und desto mehr wird man — aus einiger Entfernung — den Eindruck einer „glatten" Pyramide haben.

Einen solchen schichtförmigen Aufbau legen wir unserer Berechnung zugrunde (Abb. 4), die einen Längsschnitt durch die quadratische Pyramide darstellt.

Wir betrachten einmal den äußeren Treppenkörper T_a, das andere Mal den inneren (gestrichelten) Treppenkörper T_i; zwischen beiden liegt das Volumen V der Pyramide:

$$T_a > V > T_i .$$

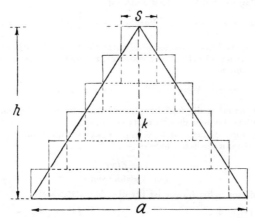

Abb. 4. Das Pyramidenvolumen als Grenzwert

Die Pyramide (Höhe h, Grundkante a) sei in n Platten zerlegt. Jede Platte habe die Höhe k, die kleinste Platte habe die Kante s; dann ist

$$h = n \cdot k \quad \text{und} \quad a = n \cdot s$$

$$
\begin{aligned}
T_a &= s^2 k + (2 s)^2 k + (3 s)^2 k + \cdots + (n s)^2 k \\
&= s^2 k (1 + 4 + 9 + \cdots + n^2) \\
&= \left(\frac{a}{n}\right)^2 \frac{h}{n} \frac{n (n + 1) (2 n + 1)}{6}^* \quad = \frac{a^2 h}{3} \frac{n (n + 1) (2 n + 1)}{n \cdot n \cdot 2 n} \\
&= \frac{a^2 h}{3} \left(1 + \frac{1}{n}\right) \left(1 + \frac{1}{2 n}\right).
\end{aligned}
$$

$$V = \lim_{n \to \infty} \frac{a^2 h}{3} \left(1 + \frac{1}{n}\right) \left(1 + \frac{1}{2 n}\right) = \frac{a^2 h}{3}.$$

Für die innere Treppe findet man leicht:

$$V = \lim_{n \to \infty} \frac{a^2 h}{3} \left(1 - \frac{1}{n}\right) \left(1 - \frac{1}{2 n}\right) = \frac{a^2 h}{3}$$

n	10	100	1000	$\cdots$	∞
$T_a : V$	1,155	1,015 05	1,001 500 5	$\cdots$	1
$T_i : V$	0,855	0,985 05	0,998 500 5	$\cdots$	1

* Die Summe der Quadratzahlen siehe MR 23.

§ 2. Funktionen. Stetigkeit

1 Der Funktionsbegriff

Der Begriff „Funktion" ist uns schon aus der Algebra und der analytischen Geometrie bekannt:

Gerade $y = 2x - 3$, Parabel $y = \frac{1}{2}x^2 + 3x - 2$.

Diese Funktionsgleichungen (kurz: Funktionen) enthalten eine Rechenvorschrift, die es gestattet, zu einem x-Wert den y-Wert zu berechnen:

für $x = 4$ ist $y = 5$, für $x = 2$ ist $y = 6$.

Man nennt x die unabhängige Veränderliche, y die abhängige Veränderliche oder den Funktionswert.

Für die Aussage, daß y irgendeine Funktion von x ist, benutzt man die Schreibweise

$$y = f(x).$$

(lies: y gleich f von x)

In dieser Schreibweise ist für die obigen Beispiele

$f(4) = 5$, $f(2) = 6$.

Zu $x = a$ gehört der Funktionswert $f(a)$.

2 Das Funktionsbild

Die Berechnung der Funktionswerte zu verschiedenen x-Werten kann mit dem Horner-Schema erfolgen (MR 24).

Beispiel (kubische Parabel): $y = \frac{1}{4}x^3 - 3x^2 + 9x - 1$

$$
\begin{array}{rrrr|l}
\frac{1}{4} & -3 & 9 & -1 & \underline{\;|\,x=4} \\
0 & 1 & -8 & 4 & \\
\hline
\frac{1}{4} & -2 & 1 & \;|\;3 = y\,, & \text{also } f(4) = 3.
\end{array}
$$

Will man die Funktion zeichnen, so fertigt man eine Wertetabelle an:

x	-1	0	1	2	3	4	5	6	7	8	9
y	$-13\frac{1}{4}$	-1	$5\frac{1}{4}$	7	$5\frac{3}{4}$	3	$\frac{1}{4}$	-1	$\frac{3}{4}$	7	$19\frac{1}{4}$.

Trägt man die berechneten Punkte in ein rechtwinkliges Achsenkreuz ein und verbindet sie miteinander, so erhält man eine Kurve, die etwa die Form eines S hat (Abb. 5).

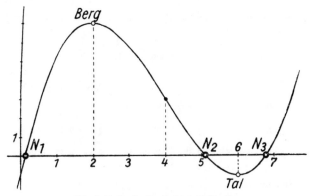

Abb. 5. Kubische Parabel mit Nullstellen

Wir stellen das Zeichenblatt senkrecht (vgl. die Wandtafel) und können das Funktionsbild mit einem Schnitt durch das Gelände vergleichen: links steigt das Gelände an, wir erreichen schließlich einen Berg, danach fällt das Gelände, und nachdem wir ein Tal durchschritten haben, beginnt rechts wieder der Anstieg.

3 Gerade und ungerade Funktionen

3.1 In einer **geraden Funktion** kommen nur Potenzen von x mit gerader Hochzahl vor:

$$y = a + b\,x^2 + c\,x^4 + \cdots \text{ (a kann auch gleich 0 sein).}$$

Da ein positiver und ein negativer x-Wert vom gleichen absoluten Betrag **denselben** Funktionswert liefern, so liegt das Bild der geraden Funktion **symmetrisch zur y-Achse** (vgl. die Parabeln $y = x^2$ und $y = x^2 + c$ in MR 24, § 79).

12. Die Funktion $\quad y = \dfrac{1}{10}\,x^4 - \dfrac{1}{2}\,x^2 - 2\quad$ ist zu zeichnen.

$\pm x$	0	0,5	1	1,5	2	2,5	2,75	3	3,5
y	−2	−2,12	−2,4	−2,62	−2,4	−1,22	0	1,6	6,9

3.2 Eine **ungerade Funktion** enthält nur Potenzen von x mit ungerader Hochzahl (und kein absolutes Glied):

$$y = a\,x + b\,x^3 + c\,x^5 + \cdots$$

Da $f(0) = 0$, so geht die Kurve durch den **Nullpunkt**. Für positive und negative x-Werte mit gleichem absolutem Betrag ergeben sich Funktionswerte vom gleichen absoluten Betrag, aber mit **entgegengesetzten** Vorzeichen, also $f(-x) = -f(x)$: Die Kurve liegt **punktsymmetrisch zum Nullpunkt.**

13. Man zeichne: (13.1) $y = \frac{1}{4} x^3 - x$;

$$(13.2) \quad y = \frac{1}{50} x^5 + \frac{1}{10} x^3 - \frac{1}{2} x .$$

x	0	1	2	3	4	$-x$
y	0	$-\frac{3}{4}$	0	$3\frac{3}{4}$	12	$-y$

("Wendeparabel")

x	0	0,5	1	1,5	1,76	2	2,5	3	$-x$
y	0	$-0,24$	$-0,38$	$-0,26$	0	0,44	2,26	6,06	$-y$

4 Nullstellen

sind die Schnittpunkte einer Kurve mit der x-Achse.

Die kubische Parabel in Abb. 5 hat die Nullstellen $N_1 = 0,12$; $N_2 = 5,10$; $N_3 = 6,78$.

Die vorstehenden Funktionen haben folgende Nullstellen:
(12) $\pm 2,75$; (13.1) 0; ± 2; (13.2) 0; $\pm 1,76$.

5 Der „Geltungsbereich"

einer Funktion umfaßt alle x-Werte, zu denen man den Funktionswert berechnen kann. Die behandelten ganzen rationalen Funktionen gelten von $x = -\infty$ bis $x = +\infty$. Man sagt auch: Die Funktion ist definiert für $-\infty < x < \infty$. Die Kurve hat also weder links noch rechts ein Ende.

Beweis. $y = a_n x^n + a_{n-1} x^{n-1} + \cdots + a_1 x + a_0$

$$= x^n \left(a_n + \frac{a_{n-1}}{x} + \cdots + \frac{a_1}{x^{n-1}} + \frac{a_0}{x^n} \right) .$$

Für $x \longrightarrow \infty$ streben alle Brüche gegen Null, also die Klammer gegen a_n. Wegen $\lim\limits_{x \to \infty} |x|^n = \infty$ ist auch $\lim\limits_{x \to \infty} y = \infty$.

14. Für die folgenden Funktionen sind $f(+100)$ und $f(-100)$ zu berechnen.

Funktion	$f(\pm 100)$
12	$\pm 9\,994\,998$
13.1	$\pm 249\,900$
13.2	$\pm 200\,099\,950$

6 Rationale Funktionen

Eine **ganze rationale Funktion** hat die allgemeine Form

$$y = a_0 + a_1 x + a_2 x^2 + \cdots + a_n x^n \, .$$

Sie besteht aus einer Summe von Gliedern (Polynom), deren jedes eine mit einem Koeffizienten multiplizierte Potenz von x ist. Die Koeffizienten sind reelle, konstante Zahlen, die — außer a_n — teilweise gleich 0 sein können. Die Exponenten sind ganzzahlig und positiv. Der größte Exponent gibt den „Grad" der Funktion an (Funktion $n$ten Grades).

Die kubische Parabel ist eine Funktion 3. Grades.

7 Einwertige Funktionen

Eine Funktion heißt ein wertig, wenn zu jedem x-Wert nur ein Funktionswert gehört.

Die ganze rationale Funktion ist einwertig.

8 Eine gebrochene rationale Funktion

hat die Form $\quad y = \dfrac{a_0 + a_1 x + a_2 x^2 + \cdots + a_n x^n}{b_0 + b_1 x + b_2 x^2 + \cdots + b_m x^m} \, ,$

sie ist der Quotient zweier ganzer rationaler Funktionen. Sie ist einwertig und definiert für alle x-Werte außer denjenigen, für die die Nennerfunktion den Wert Null annimmt*.

15. Die Funktion $y = \dfrac{x}{x - 3}$ soll gezeichnet werden.

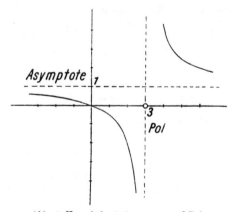

Abb. 6. Hyperbel mit Asymptote und Pol

---

* Durch Null darf man nicht dividieren.

Sie hat für $x = 3$ keinen Funktionswert, ist also nur definiert für $x \neq 3$. Ihr Geltungsbereich ist

$$- \infty < x < 3 \quad \text{und} \quad 3 < x < + \infty,$$

wobei die Intervallgrenze $x = 3$ nicht mit eingeschlossen ist.

x	-20	-5	-1	0	1	2	$2,8$	3	$3,2$	4	5	10	20
y	$0,87$	$\frac{5}{8}$	$\frac{1}{4}$	0	$-\frac{1}{2}$	-2	-14	∞	16	4	$2,5$	$1,43$	$1,18$

9 Zweiwertige Funktionen

9.1 Der Kreis $\qquad y = \sqrt{16 - x^2}$

Wegen $(\pm x)^2 = + x^2$ liegt die Kurve symmetrisch zur y-Achse. Die Funktion kann nur für $x \gtreqless |4|$ berechnet werden, ist also nur im Intervall $-4 \gtreqless x \gtreqless +4$ (einschließlich der Intervallgrenzen) definiert.

Wegen des doppelten Vorzeichens der Quadratwurzel gehören zu jedem x-Wert zwei Funktionswerte: Es liegt eine zweiwertige Funktion vor mit zwei zur x-Achse symmetrischen Kurvenzweigen, die die Punkte $+4 \mid 0$ und $-4 \mid 0$ gemeinsam haben ("Verzweigungspunkte").

9.2 Die Parabel $\qquad y = \dfrac{1}{3} x \pm \sqrt{x - 3} \qquad$ (vgl. MR 27).

Die Funktion hat zwei Kurvenzweige:

$$y^{\cdot} = \frac{1}{3} x + \sqrt{x - 3} \quad \text{und} \quad y^{\cdot\cdot} = \frac{1}{3} x - \sqrt{x - 3} \, .$$

Den Verzweigungspunkt erhalten wir aus $y^{\cdot} = y^{\cdot\cdot}$, was für

$$\sqrt{x - 3} = 0 \, , \quad \text{also } x = 3$$

der Fall ist. Geltungsbereich $x \gtreqless 3$.

x	3	4	5	6	7	8	9
y	1	$\{$ $2,33$	$3,08$	$3,73$	$4,33$	$4,90$	$5,45$
		$0,33$	$0,25$	$0,27$	$0,33$	$0,43$	$0,55$

Man beachte: Die Ordinatendifferenzen $y^{\cdot} - y^{\cdot\cdot} = 2\sqrt{x - 3}$ nehmen mit wachsendem x zu.

10 Stetigkeit

10.1 Die ganze rationale Funktion

Wir zeichnen die Funktionen

(1) $$y = x^2 - \frac{3}{2}\,x - \frac{7}{16} \quad \text{(MR 24, § 79)}$$

(2) $$y = \frac{1}{4}\,x^3 - 3\,x^2 + 9\,x - 1 \quad \text{(Abb. 5)}$$

und erkennen, daß die Kurven einen **zusammenhängenden Linienzug** bilden. Solche Funktionen nennt man **stetig**.

Die ganze rationale Funktion ist stetig.

Beweis für die Funktion 3. Grades

$$f(x) = x^3 + a\,x^2 + b\,x + c^*.$$

Wir betrachten ein Intervall $\pm h$ um die Abszisse x (Abb. 7) und berechnen die Funktionswerte $f(x \pm h)$.

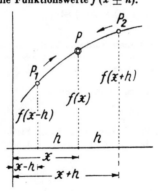

Abb. 7. Untersuchung der Stetigkeit

$$\begin{aligned}
f(x + h) &= (x + h)^3 + a(x + h)^2 + b(x + h) + c \\
&= x^3 + 3\,x^2 h + 3\,x h^2 + h^3 + a\,x^2 + 2\,a\,x h + a\,h^2 \\
&\quad + b\,x + b\,h + c\,;
\end{aligned}$$

$$\begin{aligned}
f(x - h) &= x^3 - 3\,x^2 h + 3\,x h^2 - h^3 + a\,x^2 - 2\,a\,x h + a\,h^2 \\
&\quad + b\,x - b\,h + c\,.
\end{aligned}$$

---

* Besitzt x^3 einen Koeffizienten (k), so kann man die Funktion durch diesen Koeffizienten dividieren. Dadurch werden alle Funktionswerte auf $\frac{1}{k}$ verkleinert, was lediglich eine Maßstabsänderung $(1:k)$ längs der y-Achse bedeutet.

Für $h \longrightarrow 0$ wird

$$\lim_{h \to 0} f(x + h) = x^3 + a\,x^2 + b\,x + c\,,$$

ebenso $\lim\limits_{h \to 0} f(x - h) = x^3 + a\,x^2 + b\,x + c\,.$

Da die beiden Grenzwerte für jedes endliche x eindeutig be-stimmt und **gleich** sind, ist die Funktion **stetig.**
Entsprechend kann man den Beweis für jede ganze rationale Funktion höheren Grades führen.

Eine Funktion $y = f(x)$ **ist für** $x = c$ **stetig, wenn sie an dieser Stelle definiert ist und wenn**

$$\lim_{h \to 0} f(c \pm h) = f(c) \text{ ist.}$$

Oder:

Eine Funktion $y = f(x)$ **heißt im Intervall** $a \leq x \leq b$ **stetig, wenn sie an jeder Stelle des Intervalls definiert ist und für jedes** $x = c$ **dieses Intervalls**

$$\lim_{h \to 0} f(c \pm h) = f(c) \text{ ist.}$$

Die ganze rationale Funktion ist für alle endlichen x-Werte einwertig und stetig und fällt bzw. steigt nach beiden Seiten unbegrenzt.

10.2 Die gebrochene rationale Funktion

Die Funktion $y = \dfrac{x}{x - 3}$ ist für $x = 3$ nicht definiert (siehe **15,** Abb. 6). Um ihr Verhalten an dieser Stelle zu untersuchen, lassen wir x von beiden Seiten gegen $+ 3$ streben, etwa durch die Folgen

$$3 + 0{,}1 \quad 3 + 0{,}1^2 \quad 3 + 0{,}1^3 \cdots \text{ und } 3 - 0{,}1 \quad 3 - 0{,}1^2 \quad 3 - 0{,}1^3 \cdots$$

x	3,1	3,01	3,001 $\cdots$ 3	2,9	2,99	2,999 $\cdots$ 3
y	31	301	3001 $\cdots +\infty$	-29	-299	$-2999 \cdots -\infty$

Nähern wir uns von rechts (links) der Abszisse $+ 3$, so wird der Funktionswert immer größer und überschreitet schließlich jede noch so große Zahl, „er strebt gegen Unendlich":

$$\lim_{x \to 3} \frac{x}{x - 3} = \pm \infty\,.$$

Augenscheinlich nähern sich die Punkte der Kurve von beiden Seiten her mehr und mehr der zur y-Achse parallelen Geraden $x = 3$.

11 Der Pol

Eine zur *y*-Achse parallele Gerade, für die der Funktionswert gegen Unendlich strebt, wird als Pol bezeichnet.

Die Gerade $x = 3$ ist ein Pol der Hyperbel.

Da die beiden Äste bei $x = 3$ nicht zusammenhängen, sagt man: Die Kurve ist bei $x = 3$ u n s t e t i g; sie hat dort einen Pol.

11.1 An einem Pol ungerader Ordnung erfolgt ein Sprung von $-\infty$ nach $+\infty$, je nachdem man sich der Unstetigkeitsstelle von links oder rechts nähert.

Vergleiche die Wertetafel in Aufgabe 15, Abb. 6.

16. Welchen Pol hat die Funktion $y = \dfrac{1}{(x-1)^2}$?

Die Funktion ist bei $x = 1$ unstetig. Sie liegt wegen des Quadrats im Nenner symmetrisch zur Geraden $x = 1$ und hat nur positive Ordinaten (Abb. 8).

11.2 An einem Pol gerader Ordnung tritt kein Vorzeichenwechsel ein.

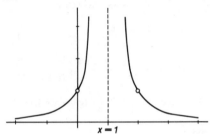

$x = 1$

Abb. 8. Funktion mit Pol gerader Ordnung

12 Die Asymptote

Eine Asymptote ist eine Gerade, der sich eine Kurve für $x \to \infty$ beliebig nähert.

Beispiel: Die Hyperbel $y = \dfrac{x}{x-3}$ hat die zur *x*-Achse parallele Gerade $y = 1$ als Asymptote (Aufg. 15, Abb. 6).

Aus $y = \dfrac{1}{1 - \dfrac{3}{x}}$ wird $\lim\limits_{x \to \infty} y = 1$.

Die genannte Hyperbel hat 2 Asymptoten ($x = 3$ und $y = 1$). Durch das Asymptotenpaar wird die Kurve gewissermaßen wie durch eine Schere in 2 Äste zerlegt.

13 Echt- und unecht-gebrochene Funktionen

Je nachdem der Grad der Zählerfunktion (n) kleiner, gleich oder größer als der Grad der Nennerfunktion (m) ist, unterscheidet man

echt-gebrochene Funktionen ($n < m$)

und unecht-gebrochene Funktionen ($n \gtreqless m$).

(1) $\quad n < m: \quad y = \dfrac{3\,x + 4}{x^2 - 1};\quad$ Pole $x = -1$ und $x = +1$

(2) $\quad n = m; \quad y = \dfrac{2\,x^2 - 3\,x + 4}{x^2 - x - 6};\quad$ Pole $x = 3$ und $x = -2$

(3) $\quad n > m: \quad y = \dfrac{x^2 + 2\,x - 3}{2\,x + 1};\quad$ Pol $x = -\dfrac{1}{2}$

17. Die vorstehenden Funktionen sind zu zeichnen. Wie heißen ihre Asymptoten?

Wir dividieren den Zähler durch den Nenner.

(1) $\quad y = \dfrac{3}{x} + \dfrac{4\,x + 3}{x\,(x^2 - 1)};\ y \to 0\ (x\text{-Achse})$

(2) $\quad y = 2 - \dfrac{1}{x} + \dfrac{15\,x - 6}{x\,(x^2 - x - 6)};\ y \to 2\ (\text{Parallele zur } x\text{-Achse})$

(3) $\quad y = \dfrac{1}{2}\,x + \dfrac{3}{4} - \dfrac{15}{4\,(2\,x + 1)}$

x	20	100	500
y	10,66	50,73	250,747

Für $x \to \infty$ ist $y = \dfrac{1}{2}\,x + \dfrac{3}{4}$ (geneigte Gerade)

14 Der „Rundgang"

18. Bei dieser Aufgabe lernen wir eine „Probe" kennen, durch die wir feststellen können, ob wir bei einer gebrochenen Funktion alle Kurvenäste erfaßt haben.

$$y = \frac{2\,x + 9}{x^2 - 9}\ \text{(Abb. 9)}$$

Punkte $(-4,5;\ 0)$ und $(0;\ -1)$; Pole $x = \pm 3$; Asymptote $y = 0$. Längs der einzelnen Äste und der Asymptoten kann man einen Rundgang ausführen:

Ast (1)	von I	nach II
Asymptote ($x = 3$)	von II	nach III
Ast (2)	von III	nach IV
Asymptote ($x = -3$)	von IV	nach V
Ast (3)	von V	nach VI
Asymptote (x-Achse)	von VI	nach I

Bei einem Pol gerader Ordnung (Abb. 8) ist dieser Rundgang nicht möglich.

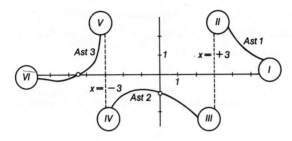

Abb. 9. Der „Rundgang"

19. Kann man aus einigen charakteristischen Punkten und den Asymptoten einer Kurve auf ihren Verlauf schließen, ohne eine Wertetafel aufzustellen?

$$y = \frac{x^2 - 1}{x - 2} = x + 2 + \frac{3}{x - 2} \quad \text{(Abb. 10)}$$

Punkte A $(1; 0)$;   B $\left(0; \frac{1}{2}\right)$;   C $(-1; 0)$;

Asymptoten $x = 2$ und $y = x + 2$.

Die Punkte A, B, C liegen auf dem Ast von   I   nach II
Asymptote $(y = x + 2)$ von II nach III
ein weiterer Ast offenbar   von III nach IV
Asymptote $(x = 2)$ von IV nach I

Damit ist der Verlauf der Kurve (Hyperbel) bestimmt.

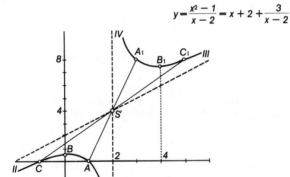

Abb. 10. Kurve aus drei Punkten

Spiegeln wir A, B, C am Asymptotenschnittpunkt S (2; 4), so erhalten wir die Punkte A_1 (3; 8); B_1 $\left(4; \ 7\frac{1}{2}\right)$ und C_1 (5; 8) auf dem vermuteten Ast III/IV.

15 Die ausfüllbare Lücke

Wir haben noch den Fall zu untersuchen, wenn in einer gebrochenen Funktion Zähler und Nenner gleichzeitig den Wert Null annehmen.

$y = \dfrac{x - 2}{x^2 - 4}$ ist unstetig für $x = +\,2$ und $x = -\,2$ (Abb. 11).

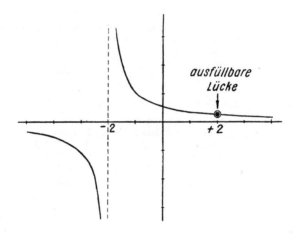

Abb. 11. Funktion mit ausfüllbarer Lücke

Für $x = +\,2$ ist auch der Zähler gleich 0. Wir lassen x von beiden Seiten gegen $+\,2$ gehen, etwa durch die Folgen $2 + 0{,}1^n$ (Aufgabe für den Leser), oder wir bilden $\lim\limits_{h\,\to\,0} (2 \pm h)$:

$$\lim_{h\,\to\,0} f(2 + h) = \lim \frac{h}{4\,h + h^2} = \lim \frac{1}{4 + h} = \frac{1}{4}$$

$$\lim_{h\,\to\,0} f(2 - h) = \lim \frac{-\,h}{-\,4\,h + h^2} = \lim \frac{1}{4 - h} = \frac{1}{4} \ .$$

Die Funktion strebt von beiden Seiten demselben **Grenzwert** $\left(\dfrac{1}{4}\right)$ zu. Man sagt: sie hat bei $x = +2$ eine „**ausfüllbare Lücke**" oder auch eine „**hebbare Unstetigkeit**".

Wie man erkennt, haben Zähler und Nenner den gemeinsamen Faktor $x - 2$, durch den man kürzen kann (für alle $x \neq 2$):

$$y = \frac{1}{x+2} \; ; \quad \text{wie oben ist } f(2) = \frac{1}{4} .$$

Zeichnen wir die gegebene und die gekürzte Funktion, so erhalten wir das gleiche Bild (Abb. 11).

Werden in einer gebrochenen rationalen Funktion für $x = a$ Zähler und Nenner gleichzeitig Null, so hat die Funktion an dieser Stelle eine ausfüllbare Lücke. Die durch $x - a$ gekürzte Funktion ist an der betrachteten Stelle stetig.

16 Funktionen mit Sprung

Die Funktion $y = \dfrac{1}{1 + 2^{1/x}}$ hat für $x = 0$ keinen Grenzwert.

Wir lassen x die Folgen $\pm \dfrac{1}{n}$ durchlaufen: Von rechts kommend strebt y gegen **0**, von links kommend jedoch gegen **1**. Die Funktion macht bei $x = 0$ einen **endlichen Sprung!** (Abb. 12).

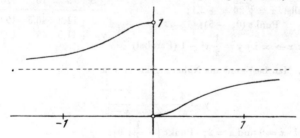

Abb. 12. Funktion mit endlichem Sprung

x	1	$\dfrac{1}{2}$	$\dfrac{1}{3}$	$\dfrac{1}{4}$	$\to$ 0	-1	$-\dfrac{1}{2}$	$-\dfrac{1}{3}$	$-\dfrac{1}{4}$	$\to$ 0
y	$\dfrac{1}{3}$	$\dfrac{1}{5}$	$\dfrac{1}{9}$	$\dfrac{1}{17}$	$\to$ **0**	$\dfrac{2}{3}$	$\dfrac{4}{5}$	$\dfrac{8}{9}$	$\dfrac{16}{17}$	$\to$ **1**

$$\lim_{x \to \infty} y = \frac{1}{2} , \quad \text{also Asymptote } y = \frac{1}{2}.$$

Zeige, daß die Funktion $y = \dfrac{a}{b + c^{k/x}}$ bei $x = 0$ einen end-

lichen Sprung von $\dfrac{a}{b}$ nach 0 macht, und daß die Gerade $y = \dfrac{a}{b + 1}$

Asymptote ist!

20. $y = 2^{\left(\frac{1}{x-1}\right)}$

Die Wertetabelle zeigt, daß die Funktion bei $x = 1$ einen Sprung von 0 nach $+\infty$ macht (Zeichnung!).

x	-1	0	$0{,}5$	$0{,}8$	$0{,}9$	$0{,}99$	$\cdots$	1
y	$0{,}71$	$0{,}5$	$0{,}25$	$0{,}03$	$< 10^{-3}$ *	$< 10^{-30}$	$\cdots$	0

x	3	2	$1{,}5$	$1{,}2$	$1{,}1$	$1{,}01$	$\cdots$	1
y	$1{,}41$	2	4	32	$> 10^3$	$> 10^{30}$	$\cdots$	∞

17 Parabel und Hyperbel als „Asymptoten"

21. Welcher Kurve nähert sich die nachstehende Funktion für $x \to \infty$?

$$y = \frac{\frac{1}{2}x^4 - 10}{x^2 + 2} = \frac{1}{2}x^2 - 1 - \frac{8}{x^2 + 2}$$

Symmetrie zur y-Achse; kein Pol;

Nullst. $x = \sqrt[4]{20} = \pm 2{,}1$;

Punkt $(0; -5)$;

für $x \to \infty$ ist $y = \dfrac{1}{2}x^2 - 1$ (Parabel)

$\pm x$	5	10	20
y	$11{,}2$	$48{,}5$	199
y_P	$11{,}5$	49	199

22. Man bestimme die Näherungskurve von

$$y = \frac{4x + 1}{x^2 - 2x} = \frac{4 + \frac{1}{x}}{x - 2}$$

Pole $x = 0$ und $x = 2$; Punkt $\left(-\dfrac{1}{4}; 0\right)$;

für $x \to \infty$ ist $y \to \dfrac{4}{x - 2}$ (Hyperbel)

x	-50	-10	10	50
y	$-0{,}0765$	$-0{,}325$	$0{,}501$	$0{,}0837$
y_H	$-0{,}0769$	$-0{,}333$	$0{,}5$	$0{,}0833$

In den Aufgaben 21 und 22 können Parabel bzw. Hyperbel als Asymptoten aufgefaßt werden.

---

* $2^{10} > 10^3$; $2^{-10} < 10^{-3}$.

18 Die irrationale Funktion

18.1 Die ganze irrationale Funktion

$$y = \sqrt[n]{a_m\, x^m + \cdots + a_1\, x + a_0}$$

Da y^n eine ganze rationale Funktion ist und als solche für alle endlichen x stetig ist (siehe 10), so ist auch y für alle x stetig.

Für $n = 2\,k + 1$ (ungerade) ist die Funktion einwertig und von $-\infty$ bis $+\infty$ definiert.

Für $n = 2\,k$ (gerade) ist die Funktion wegen des doppelten Vorzeichens der Wurzel zweiwertig, aber nur dort definiert, wo der Radikand $\gtreqless 0$ ist.

18.2 In der **gebrochenen irrationalen Funktion** treten Unstetigkeitsstellen auf, wenn die Nennerfunktion gleich Null wird.

Nullstellen sind vorhanden, wenn die Zählerfunktion — aber nicht gleichzeitig die Nennerfunktion! — gleich Null wird.

Für den Geltungsbereich und die Wertigkeit gilt das unter 18.1 Gesagte.

In den folgenden Funktionen sollen Geltungsbereich, Wertigkeit, Unstetigkeitsstellen, Nullstellen, Asymptoten und die Zahl der Kurvenäste angegeben werden. Die eine oder andere Kurve ist zu zeichnen.

23. $\quad y = \sqrt{x^2 - 4\,x + 3} = \sqrt{(x-1)\,(x-3)} = \sqrt{(x-2)^2 - 1}$

Symmetrie zur x-Achse; Nullst. $+1$ und $+3$; Punkte $(0;\ \pm\sqrt{3})$; Asymptoten $y = \pm\,(x-2)$; ihr Schnittpunkt $(2;\ 0)$; die Funktion existiert nicht für $1 < x < 3$.

Die Transformation (siehe MR 27) $y - 2 = \xi$ und $y = \eta$ ergibt die gleichseitige (nach links und rechts geöffnete) Hyperbel

$$\xi^2 - \eta^2 = 1$$

24. $\quad y = \sqrt{x^2 - 2\,x + 5} = \sqrt{(x-1)^2 + 4}$

Keine Nullstelle; Punkte $(1;\ \pm 2)$ und $(0;\ \pm\sqrt{5})$; Asymptoten $y = \pm\,(x-1)$; ihr Schnittpunkt $(1;\ 0)$.

Die Transformation $x - 1 = \xi$ und $y = \eta$ ergibt die gleichseitige (nach oben und unten geöffnete) Hyperbel

$$-\xi^2 + \eta^2 = 4$$

25. $y = \sqrt[4]{x^3 - 4x} = \sqrt[4]{x(x^2 - 4)}$ (Abb. 13)

Nullstellen 0 und ± 2;

Geltungsbereich $\qquad x \gtrless 2$ (parabelförmiger Ast)

und $-2 \lessgtr x \lessgtr 0$ („Ring" mit Punkt $(-1;\ \pm \sqrt[4]{3})$;

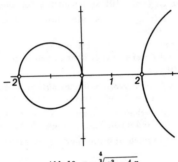

Abb. 13. $y = \sqrt[4]{x^3 - 4x}$

26. $y = \sqrt[4]{x^2 - 5x + 4} = \sqrt[4]{(x-1)(x-4)} = \sqrt[4]{(x-2,5)^2 - 2,25}$

Nullstellen $+1$ und $+4$; Punkte $(0;\ \pm \sqrt[4]{2})$;

die Funktion existiert nicht für $1 < x < 4$;

für $x \to \infty$ ist $y^2 = \sqrt{(x-2,5)^2} = \pm (x-2,5)$:

Die beiden Kurvenäste schmiegen sich den Parabeln $y^2 = \pm (x-2,5)$ an.

x	5 0	6 —1	7 —2
$\pm y$	1,41	1,78	2,06
$\pm y_P$	1,58	1,87	2,12

27. $y = \sqrt[3]{x^2 - 5x + 4}$

Nullstellen $+1$ und $+4$; Punkt $(0 : \sqrt[3]{4})$; gilt für alle x; $x - 2,5 = \xi$; $y = \eta$, also $\eta = \sqrt[3]{\xi^2 - 1,5^2}$ (vgl. Aufg. 26).

Symmetrie zur η-Achse. Für $x \to \infty$ erhält man die Näherungskurve $\eta_N = \xi^{2/3}$ mit einer Spitze im Nullpunkt.

$\pm \xi$	0	1,5	2,5	5	
η	—1,3	0	1,6	2,83	„Geweih" vgl. Neilsche $\}$
η_N	0	1,3	1,84	2,92	Parabel (Aufgabe 166) $\}$ $\eta < \eta_N$

28. $y = \dfrac{\sqrt[3]{x+1}}{x^2-4} = \dfrac{\sqrt[3]{x+1}}{(x+2)(x-2)}$

Nullst. -1; Pole ± 2; Punkt $\left(0; -\dfrac{1}{4}\right)$; Asymptote $y = 0$.

x	-3	$-2,2$	-2	$-1,8$	-1	0	1	$1,8$	2	$2,2$	3
y	$-0,25$	$-1,27$	$\mp\infty$	$1,22$	0	$-0,25$	$-0,42$	$-1,85$	$\mp\infty$	$1,75$	$0,32$

$\underbrace{}_{\text{1. Ast}}$ $\underbrace{}_{\text{2. Ast}}$ $\underbrace{}_{\text{3. Ast}}$

§3. Die Ableitung einer Funktion

1 Die Steigung einer Geraden

ist definiert als das Verhältnis der Ordinatendifferenz zur Abszissendifferenz zweier Punkte der Geraden (MR 22, § 16):

$$m = \frac{y_1 - y}{x_1 - x} \quad \text{(Abb. 14)}.$$

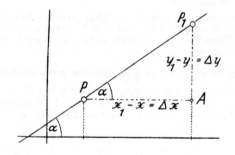

Abb. 14. Steigung einer Geraden

Der Steigungswinkel α einer Geraden ist der im Gegenuhrzeigersinn gemessene Winkel, den die Gerade mit der positiven Richtung der x-Achse bildet. Sein Tangens ist die Steigung der Geraden. Aus dem Steigungsdreieck PP_1A ist

$$\tan\alpha = \frac{y_1 - y}{x_1 - x} = m.$$

In der Differentialrechnung pflegt man die Abszissendifferenz durch das Zeichen Δx, die Ordinatendifferenz durch das Zeichen Δy zu bezeichnen*:

$$x_1 - x = \Delta x, \quad y_1 - y = \Delta y \quad \text{oder} \quad x_1 = x + \Delta x, \quad y_1 = y + \Delta y.$$

Der Quotient $\dfrac{\Delta y}{\Delta x}$ heißt **Differenzenquotient**.

$$\frac{\Delta y}{\Delta x} = \frac{y_1 - y}{x_1 - x} = m = \tan \alpha.$$

Der Differenzenquotient der linearen Funktion ist konstant und gibt die Steigung der Geraden in jedem ihrer Punkte an.

Beweis. Normalform $y = m x + n$; Punkt $P(x \mid y)$

$$y_1 = m x_1 + n; \quad \text{Punkt } P_1(x_1 \mid y_1)$$

$$y_1 - y = \Delta y = (m x_1 + n) - (m x + n) = m (x_1 - x)$$

$$\frac{y_1 - y}{x_1 - x} = \frac{\Delta y}{\Delta x} = \frac{m (x_1 - x)}{x_1 - x} = m.$$

2 Steigung einer Kurve

Kann man auch von der Steigung einer gekrümmten Linie sprechen? Der Augenschein zeigt, daß die bekannten Kurven wie Kreis, Ellipse, Parabel, Hyperbel an verschiedenen Stellen verschieden stark ansteigen.

Zeichne die Parabel $y = \dfrac{1}{2} x^2$ möglichst genau und lege in den Punkten $x = 1, 2, 3, 4$ die Tangenten an**. Miß ihre Steigungswinkel α, suche $\tan \alpha$ in der Logarithmentafel auf und stelle fest, ob zwischen x und $\tan \alpha$ eine Beziehung besteht.

x	1	2	3	4	
α	46°	65°	71°	76°	Es ist $\tan \alpha \approx x$.
$\tan \alpha$	1,04	2,14	2,90	4,01	

Die Differentialrechnung hat zunächst die Aufgabe, die **Richtung der Tangente** in einem Kurvenpunkt zu ermitteln. (Auch historisch ist diese Aufgabe das Problem gewesen, von dem die Differentialrechnung ihren Ausgang genommen hat.)

---

* Das Zeichen Δ (Delta, das griechische D) ist ein Symbol (wie das Zeichen $\sqrt{\ }$ oder log) und bedeutet „Differenz".

** Auf diese Weise kann die Tangente nur näherungsweise gezeichnet, aber nicht konstruiert werden.

3 Die quadratische Funktion

Wir zeichnen die Parabel $y = x^2$ (der Deutlichkeit wegen die Ordinaten im Maßstab 1:4) und legen zwischen einigen Punkten die Steigungsdreiecke an (Abb. 15): Bei gleicher Abszissendifferenz

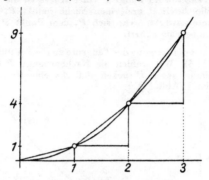

Abb. 15. Steigungsdreiecke der Parabel

($\Delta x = 1$) sind die Ordinatendifferenzen Δy verschieden groß. Die Hypotenusen der Steigungsdreiecke fallen nicht mit der Kurve zusammen, sondern sind Sehnen der Parabel.

Der Differenzenquotient gibt die Steigung der zwischen zwei Kurvenpunkten gezogenen Sehne an.

4 Die Kurventangente

Um von der Sehne PP_1 (Abb. 16) zur Tangente im Punkt P zu gelangen, denken wir sie uns so gedreht, daß die Abszissen-

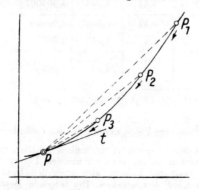

Abb. 16. Die Tangente als Grenzfall der Sekante

differenzen immer kleiner werden, also P_1 über P_2 und P_3 sich P mehr und mehr nähert. Wir fassen also — genau wie beim Kreis — die Tangente als Grenzfall der Sekante auf.

> **Die Tangente im Punkt P einer Kurve ist die Grenzlage, der die durch P und einen Nachbarpunkt P_1 gezogenen Sekante zustrebt, wenn sich P_1 dem Punkt P längs der Kurve beliebig nähert.**

29. Gesucht ist die Steigung der Tangente an die Parabel $y = x^2$ im Punkt P (2 | 4). Wir wählen als Nachbarpunkt P_1 (3 | 9) und lassen ihn derart gegen P rücken, daß Δx eine Nullfolge (etwa $0,1^n$) durchläuft (Abb. 17).

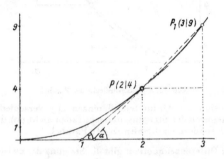

Abb. 17. Der Differenzenquotient

x_1	3	2,1	2,01	2,001	$\cdots$ 2
y_1	9	4,41	4,0401	4,004001	$\cdots$ 4
Δy	5	0,41	0,0401	0,004001	
Δx	1	0,1	0,01	0,001	
$\dfrac{\Delta y}{\Delta x}$	5	4,1	4,01	4,001	$\cdots$ 4
α	78°41′	76°17′35″	75°59′50″	75°58′2″	$\cdots$ 75°57′50″

Die $\dfrac{\Delta y}{\Delta x}$ bilden eine Folge, deren Grenzwert offenbar gleich 4 ist.

Wenn ein solcher Grenzwert tatsächlich existiert, dann muß er sich auch erreichen lassen, wenn wir uns dem Punkt P (2 | 4) von der anderen Seite her nähern, also etwa den Punkt P_1 (1 | 1) immer mehr an P heranrücken. Die folgende Berechnung bestätigt unsere Vermutung.

x_1	1	1,9	1,99	1,999	$\cdots$ 2
y_1	1	3,61	3,9601	3,996001	$\cdots$ 4
$\dfrac{\Delta y}{\Delta x}$	3	3,9	3,99	3,999	$\cdots$ 4
α	71°34'	75°37'7''	75°55'48''	75°57'37''	$\cdots$ 75°57'50''

5 Allgemeine Berechnung

Um die Steigung der Tangente $(\tan \tau)$ in irgendeinem Punkt P angeben zu können, führen wir unsere Überlegung in allgemeiner Form durch.

5.1 Für P ist $y = x^2$; für P_1 ist $y_1 = x_1^2$.

1. Schritt: Wir berechnen $\Delta y = y_1 - y = x_1^2 - x^2 = (x_1 + x)(x_1 - x)$.

2. Schritt: Wir berechnen $\dfrac{\Delta y}{\Delta x} = \dfrac{(x_1 + x)(x_1 - x)}{x_1 - x} = x_1 + x$.

3. Schritt: Wir bilden $\lim\limits_{x_1 \to x} \dfrac{\Delta y}{\Delta x}$. Mit $x_1 \to x$ geht die Sekante in die Tangente über und es ist

$$\tan \tau = \lim\limits_{x_1 \to x} \frac{\Delta y}{\Delta x} = x + x = 2x.$$

Anmerkung. Würde man in $\dfrac{\Delta y}{\Delta x} = \dfrac{x_1^2 - x^2}{x_1 - x}$ den Grenzübergang $x_1 \to x$ machen, so ergäbe sich der unbestimmte Ausdruck $\dfrac{0}{0}$. Vor der Limesbildung muß deshalb der Differenzenquotient so umgeformt werden, daß man durch den noch von Null verschiedenen Nenner $x_1 - x$ kürzen kann. (Durch Null darf man nicht dividieren!)

5.2 Man kann auch folgendermaßen vorgehen: Wenn x um Δx zunimmt, so nimmt y um Δy zu. Es ist also für den Punkt P_1:

1. Schritt:
$$y + \Delta y = (x + \Delta x)^2$$
$$y + \Delta y = x^2 + 2x \cdot \Delta x + (\Delta x)^2$$

Subtrahiert man $\quad y \qquad = x^2$,

so wird $\qquad \Delta y \quad = 2x \cdot \Delta x + (\Delta x)^2$.

2. Schritt:
$$\frac{\Delta y}{\Delta x} = 2x + \Delta x.$$

3. Schritt:
$$\lim\limits_{\Delta x \to 0} \frac{\Delta y}{\Delta x} = 2x.$$

30. Die Steigung der Parabeltangente in beliebigen Punkten ist zu berechnen. Die betreffenden Tangenten sollen gezeichnet werden.

x	1	1,8	2,5	4	— 2
$\tan \tau$	2	3,6	5	8	— 4

Man trägt etwa in P (1 ; 1) das Steigungsdreieck mit den Katheten 1 und 2 an; die Tangente in P wird durch die Hypotenuse des Steigungsdreiecks bestimmt (Abb. 18).

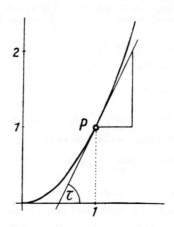

Abb. 18. Konstruktion einer Parabeltangente

6 Die Ableitung

Da die Steigung der Parabeltangente sich von Punkt zu Punkt ändert, also eine **Funktion von x** ist, pflegt man sie mit y' oder $f'(x)$ — lies: „y Strich" oder „f Strich von x" — zu bezeichnen und nennt y' die **Ableitung der Funktion.**

Die Ableitung einer Funktion ist der Grenzwert des Differenzenquotienten für $\Delta x \longrightarrow 0$:

$$y' = \lim_{\Delta x \to 0} \frac{\Delta y}{\Delta x} ;$$

sie gibt die Steigung der Tangente in einem Punkt der Kurve an.

7 Schreibweisen für die Ableitung

Für die Ableitung sind die folgenden Schreibweisen gebräuchlich:

$$y' = f'(x) = \lim_{\Delta x \to 0} \frac{\Delta y}{\Delta x} = \lim_{x_1 \to x} \frac{y_1 - y}{x_1 - x}$$

$$= \lim_{x_1 \to x} \frac{f(x_1) - f(x)}{x_1 - x} = \lim_{\Delta x \to 0} \frac{f(x + \Delta x) - f(x)}{\Delta x}$$

Die Funktion $y = x^2$ hat die Ableitung $y' = 2\,x$.

Es ist z. B. $f'(3) = 6$; $f'(-2{,}5) = -5$.

Das Verfahren, zu einer Funktion die Ableitung zu berechnen, nennt man „Differenzieren".

Die Funktion $y = x^2$ ist für alle endlichen x-Werte „differenzierbar".

Regeln für das Differenzieren § 4 bis § 11

§ 4. Die Potenzregel

1 Potenzen mit positiver ganzer Hochzahl

1.1 $y = x^3$ (Wendeparabel)

$$y + \Delta y = (x + \Delta x)^3 = x^3 + 3\,x^2 \cdot \Delta x + 3\,x(\Delta x)^2 + (\Delta x)^3$$
$$y \qquad\qquad = x^3$$

$$\frac{\Delta y}{} \qquad = 3\,x^2 \cdot \Delta x + 3\,x(\Delta x)^2 + (\Delta x)^3$$
$$\frac{\Delta y}{\Delta x} \qquad = 3\,x^2 + 3\,x \cdot \Delta x + (\Delta x)^2$$

$$y' = \lim_{\Delta x \to 0} \frac{\Delta y}{\Delta x} = 3\,x^2.$$

1.2 $y = x$

$$y + \Delta y = x + \Delta x$$
$$y \qquad = x$$

$$\Delta y = \Delta x$$
$$\frac{\Delta y}{\Delta x} = 1.$$

Für die Gerade $y = x$ ist der Differenzenquotient gleich 1, und zwar ist dieser Wert **unabhängig** von x; somit ist auch

$$y' = 1,$$

was nichts anderes besagt, als daß diese Gerade unter $45°$ ansteigt.

1.3 Zusammenstellung

Wir stellen die Ableitungen der bisher betrachteten Funktionen zusammen:

$$y = x = x^1 \qquad y' = 1 \cdot x^0 = 1$$
$$y = x^2 \qquad y' = 2 \cdot x^1$$
$$y = x^3 \qquad y' = 3 \cdot x^2$$

und vermuten, daß für

$$y = x^4 \qquad y' = 4 \cdot x^3 \text{, allgemein für}$$
$$y = x^n \qquad y' = n \cdot x^{n-1} \text{ ist.}$$

Beweis: $y = x^n$; $y + \Delta y = (x + \Delta x)^n$.

Wir entwickeln nach dem Binomischen Satz (s. Anhang), wobei wir der Übersichtlichkeit wegen vorübergehend $\Delta x = h$ setzen:

$$(x + h)^n = x^n + n \cdot x^{n-1} h + \frac{n(n-1)}{2!} x^{n-2} h^2 +$$
$$+ \frac{n(n-1)(n-2)}{3!} x^{n-3} h^3 + \cdots$$

Von dieser Summe subtrahieren wir $y = x^n$ (wobei das erste x^n wegfällt) und dividieren dann durch $\Delta x = h$:

$$\frac{\Delta y}{\Delta x} = n \cdot x^{n-1} + \frac{n(n-1)}{2!} x^{n-2} h +$$
$$+ \frac{n(n-1)(n-2)}{3!} x^{n-3} h^2 + \cdots$$

Für $\Delta x = h \longrightarrow 0$ verschwinden alle Glieder außer dem ersten:

$$y' = n \cdot x^{n-1} .$$

(1) Die Ableitung der Potenzfunktion $y = x^n$ ist $y' = n \cdot x^{n-1}$

$$(n \text{ ganz und positiv})$$

Die Potenzfunktion ist für jeden endlichen Wert von x differenzierbar.

Ein weiterer Beweis in § 6.1

2 Potenzen mit negativer Hochzahl*

2.1 $$y = x^{-1} = \frac{1}{x}; \quad y + \Delta y = \frac{1}{x + \Delta x}$$

$$\Delta y = \frac{1}{x + \Delta x} - \frac{1}{x} = \frac{x - (x + \Delta x)}{(x + \Delta x)\, x} = -\frac{\Delta x}{(x + \Delta x)\, x}$$

* MR 23, § 39.

$$\frac{\Delta y}{\Delta x} = -\frac{1}{(x + \Delta x)\, x}; \quad \lim_{\Delta x \to 0} \frac{\Delta y}{\Delta x} = y' = -\frac{1}{x^2}$$

2.2 $\quad y = x^{-2} = \dfrac{1}{x^2}; \quad y + \Delta y = \dfrac{1}{(x + \Delta x)^2}$

$$\Delta y = \frac{1}{(x + \Delta x)^2} - \frac{1}{x^2} = -\frac{2\, x \cdot \Delta x + (\Delta x)^2}{(x + \Delta x)^2\, x^2}$$

$$\frac{\Delta y}{\Delta x} = -\frac{2\, x + \Delta x}{(x + \Delta x)^2\, x^2}; \quad \lim_{\Delta x \to 0} \frac{\Delta y}{\Delta x} = y' = -\frac{2\, x}{x^4} = -\frac{2}{x^3}$$

2.3 $\quad y = x^{-n} = \dfrac{1}{x^n}; \quad \Delta y = \dfrac{x^n - (x + \Delta x)^n}{(x + \Delta x)^n\, x^n}$

Nach Berechnung des Binoms (siehe 1.3) lautet der Zähler:

$$-\left[n \cdot x^{n-1} \cdot \Delta x + \frac{n\,(n-1)}{2!}\, x^{n-2}\, (\Delta x)^2 + \cdots \right]$$

$$\frac{\Delta y}{\Delta x} = -\frac{n \cdot x^{n-1} + \dfrac{n\,(n-1)}{2!}\, x^{n-2} \cdot \Delta x + \cdots}{(x + \Delta x)^n \cdot x^n}$$

$$y' = -\frac{n \cdot x^{n-1}}{x^{2\,n}} = -\frac{n}{x^{n+1}} = -n \cdot x^{-(n+1)}\,.$$

Differenzieren wir die Funktionen 2.1 bis 2.3 nach Regel **(1)**, so erhalten wir die gleichen Ergebnisse:

$y = x^{-1}$	$y = x^{-2}$	$y = x^{-n}$
$y' = -1 \cdot x^{-2}$	$y' = -2 \cdot x^{-3}$	$y' = n \cdot x^{-n-1} = -n \cdot x^{-(n+1)}$

(1 a) $\quad$ Für $y = \dfrac{1}{x^n} = x^{-n}$ ist $y' = -n \cdot x^{-n-1} = -\dfrac{n}{x^{n+1}}$

$\hfill$ (n ganz und positiv)

Die Regel **(1)** gilt also auch für Potenzen mit negativen ganzen Hochzahlen.

3 Potenzen mit gebrochener Hochzahl*

3.1 $\quad y = x^{1/2} = \sqrt{x}; \quad y + \Delta y = \sqrt{x + \Delta x}$

$$\Delta y = \sqrt{x + \Delta x} - \sqrt{x} = \frac{(\sqrt{x + \Delta x} - \sqrt{x})\,(\sqrt{x + \Delta x} + \sqrt{x})}{\sqrt{x + \Delta x} + \sqrt{x}}$$

$$= \frac{(x + \Delta x) - x}{\sqrt{x + \Delta x} + \sqrt{x}} = \frac{\Delta x}{\sqrt{x + \Delta x} + \sqrt{x}}$$

* MR 23, § 46.

$$\frac{\Delta y}{\Delta x} = \frac{1}{\sqrt{x + \Delta x} + \sqrt{x}}; \quad y' = \frac{1}{\sqrt{x} + \sqrt{x}} = \frac{1}{2\sqrt{x}}$$

3.2 $$y = x^{2/3} = \sqrt[3]{x^2} = z^2 \text{ gesetzt,}$$

so daß $x^2 = z^6$, $x = z^3$, $z = \sqrt[3]{x}$ ist. Wegen $y_1 = z_1^2$ wird

$$\frac{\Delta y}{\Delta x} = \frac{z_1^2 - z^2}{z_1^3 - z^3} = \frac{(z_1 + z)(z_1 - z)}{(z_1^2 + z_1 z + z^2)(z_1 - z)} = \frac{z_1 + z}{z_1^2 + z_1 z + z^2}$$

Für $x_1 \longrightarrow x$ geht auch $z_1 \longrightarrow z$, also

$$y' = \frac{2z}{3z^2} = \frac{2}{3z} = \frac{2}{3 \cdot \sqrt[3]{x}}$$

3.3 $y = x^{n/m} = \sqrt[m]{x^n} = z^n$ gesetzt (m und n positiv und ganz).

$x^n = z^{mn}$, $x = z^m$, $z = \sqrt[m]{x}$

$$\frac{\Delta y}{\Delta x} = \frac{z_1^n - z^n}{z_1^m - z^m}^* = \frac{z_1^{n-1} + z_1^{n-2}z + z_1^{n-3}z^2 + \cdots + z^{n-1}}{z_1^{m-1} + z_1^{m-2}z + z_1^{m-3}z^2 + \cdots + z^{m-1}}$$

Der Zähler besteht aus n, der Nenner aus m Gliedern. Für $x_1 \longrightarrow x$ und $z_1 \longrightarrow z$ wird

$$y' = \frac{n \cdot z^{n-1}}{m \cdot z^{m-1}} = \frac{n}{m} \cdot z^{n-m} = \frac{n}{m} \sqrt[m]{x^{n-m}}.$$

Wenden wir auf die Funktionen 3.1 bis 3.3 mit gebrochener Hochzahl die Regel (1) an, so finden wir dieselben Ableitungen.

$$y = x^{1/2}; \quad y' = \frac{1}{2} x^{-1/2} = \frac{1}{2\sqrt{x}}$$

$$y = x^{2/3}; \quad y' = \frac{2}{3} x^{-1/3} = \frac{2}{3 \cdot \sqrt[3]{x}}$$

---

* Beide Differenzen kann man durch $z_1 - z$ dividieren.
Über die Division $(a^n - b^n) : (a - b)$ siehe MR 22, § 11.

(1b) $y = \sqrt[m]{x^n} = x^{\frac{n}{m}}$; $y' = \frac{n}{m} x^{\frac{n}{m}-1} = \frac{n}{m} x^{\frac{n-m}{m}} = \frac{n}{m} \sqrt[m]{x^{n-m}}$

(für $n > m$)

$$\text{oder } y' = \frac{n}{m} x^{-\frac{m-n}{m}} = \frac{n}{m} \; \frac{1}{\sqrt[m]{x^{m-n}}}$$

(für $m > n$)

Merke besonders:

(1c) Für $y = \sqrt{x}$ ist $y' = \dfrac{1}{2\sqrt{x}}$.

Damit ist gezeigt, daß die Regel **(1)** für alle rationalen n (ganz oder gebrochen, positiv oder negativ) gilt.

§ 5. Konstanten-, Summen- und Kettenregel

1 Die Konstantenregeln

1.1 Der konstante Faktor

(1) $y = 3x^2$; $y + \Delta y = 3(x + \Delta x)^2$;

$\Delta y = 3(x + \Delta x)^2 - 3x^2 = 3[2x \cdot \Delta x + (\Delta x)^2]$

$\dfrac{\Delta y}{\Delta x} = 3[2x + \Delta x]$; $y' = 3 \cdot 2x = 6x$.

(2) $y = a \cdot x^3$; $\Delta y = a(x + \Delta x)^3 - ax^3$
$\qquad\qquad\qquad = a[3x^2 \Delta x + 3x(\Delta x)^2 + (\Delta x)^3]$

$\dfrac{\Delta y}{\Delta x} = a[3x^2 + 3x \cdot \Delta x + (\Delta x)^2]$; $y' = a \cdot 3x^2 = 3ax^2$

(3) $y = c \cdot f(x)$; $y + \Delta y = c \cdot f(x + \Delta x)$

$\dfrac{\Delta y}{\Delta x} = \dfrac{c \cdot f(x + \Delta x) - c \cdot f(x)}{\Delta x} = c \cdot \dfrac{f(x + \Delta x) - f(x)}{\Delta x}$

$\lim\limits_{\Delta x \to 0} \dfrac{\Delta y}{\Delta x} = \lim \left[c \cdot \dfrac{f(x + \Delta x) - f(x)}{\Delta x} \right] = c \cdot \lim \dfrac{f(x + \Delta x) - f(x)}{\Delta x}$[*]

$\qquad\qquad\qquad\qquad\qquad\qquad = c \cdot f'(x)$[**]

---

[*] Vgl. die Limesregeln § 1, 14.
[**] Siehe die verschiedenen Schreibweisen der Ableitung § 3, 7.

(2) Für $y = c \cdot f(x)$ ist $y' = c \cdot f'(x)$.

Ein konstanter Faktor bleibt beim Differenzieren erhalten.

1.2 Der konstante Summand

(4) $\quad y = x^2 + 2$; $y + \Delta y = (x + \Delta x)^2 + 2$

$$\Delta y = 2\,x \cdot \Delta x + (\Delta x)^2 ; \; \frac{\Delta y}{\Delta x} = 2\,x + \Delta x ; \; y' = \mathbf{2\,x}$$

(5) $\quad y = x^3 - b$; $y + \Delta y = (x + \Delta x)^3 - b$

$$\frac{\Delta y}{\Delta x} = \frac{(x + \Delta x)^3 - x^3}{\Delta x} = 3\,x^2 + 3\,x \cdot \Delta x + (\Delta x)^2 ; \quad y' = \mathbf{3\,x^2}$$

(6) $\quad y = f(x) + c$; $y + \Delta y = f(x + \Delta x) + c$

$$\frac{\Delta y}{\Delta x} = \frac{f(x + \Delta x) - f(x)}{\Delta x} ; \quad \lim \frac{\Delta y}{\Delta x} = f'(x)$$

(3) Für $y = f(x) + c$ ist $y' = f'(x)$.

Ein konstanter Summand verschwindet beim Differenzieren.

Dieses Ergebnis leuchtet ohne weiteres ein, denn ein konstanter Summand bedeutet ja nur eine Parallelverschiebung der Kurve längs der y-Achse, wodurch die Steigung der Tangente nicht geändert wird.

1.3 Die Konstante

(7) $\quad y = c$ (konstant).

Da y gar nicht von x abhängig ist, so ist auch $y_1 = c$, mithin Δy und auch $\frac{\Delta y}{\Delta x} = 0$, ebenso $y' = 0$.

(4) Für $y = c$ ist $y' = 0$.

Die Ableitung einer Konstanten ist Null.

Geometrisch ist $y = c$ eine Parallele zur x-Achse im Abstand c, die keine Steigung besitzt.

2 Die Summenregel

2.1 $y = 2\,x^2 - 3\,x + 4\;;\; y + \Delta y = 2(x + \Delta x)^2 - 3\,(x + \Delta x) + 4$

$\Delta y = 2\,[(x + \Delta x)^2 - x^2] - 3\,[(x + \Delta x) - x]$

$$\frac{\Delta y}{\Delta x} = 2\,[2\,x + \Delta x] - 3$$

Nach der Limesregel § 1 ist $y' = 2 \cdot 2\,x - 3 = \mathbf{4\,x - 3}$.

2.2 $y = a\,x^3 + b\,x^2 + c\,x$.

Entsprechend wie in 8 erhält man $y' = 3\,a\,x^2 + 2\,b\,x + c$.

2.3
$$y = f\,(x) + F\,(x) - \varphi\,(x)^*$$
$$y_1 = f(x_1) + F(x_1) - \varphi\,(x_1)$$

$$\frac{\Delta y}{\Delta x} = \frac{f(x_1) - f(x)}{x_1 - x} + \frac{F(x_1) - F(x)}{x_1 - x} - \frac{\varphi(x_1) - \varphi(x)}{x_1 - x}$$

(5) $y' = f'(x) + F'(x) - \varphi'(x)$.

Eine algebraische Summe wird gliedweise differenziert.

3 Die Kettenregel

Nicht alle Funktionen sind so einfach gebaut wie die bisher behandelten. Um auch verwickelt gebaute Funktionen, etwa

$$y = (3\,x^2 - 2\,x + 5)^3 \quad \text{oder} \quad y = \sqrt{25 - x^2},$$

differenzieren zu können, führen wir den Begriff der **Kettenfunktion**** ein. Wir zerlegen die Funktion in zwei **Teilfunktionen**:

$$y = z^3 \text{ und } z = 3\,x^2 - 2\,x + 5 \text{ bzw. } y = \sqrt{z} \text{ und } z = 25 - x^2;$$

allgemein: $y = f(x)$ in $\begin{cases} y = \varphi(z) \\ z = g(x) \end{cases}$

y ist eine stetige Funktion von z, das seinerseits eine stetige Funktion von x ist, wofür man das Symbol benutzt:

$$y = \varphi[z] = \varphi[g(x)].$$

---

* Die Zeichen f, F, φ bringen zum Ausdruck, daß verschiedene (differenzierbare) Funktionen vorliegen.

** Auch Schachtelfk., mittelbare Fk. oder Funktion einer Funktion genannt.

Den drei Funktionen $\qquad y = f(x) \qquad y = f(z) \qquad z = g(x)$

entsprechen d. Differenzenqu. $\qquad \dfrac{\Delta y}{\Delta x} \qquad \dfrac{\Delta y}{\Delta z} \qquad \dfrac{\Delta z}{\Delta x}$

und die Ableitungen $\qquad y' \qquad f'(z) \qquad g'(x)$

Da $\qquad \dfrac{\Delta y}{\Delta x} = \dfrac{\Delta y}{\Delta z} \cdot \dfrac{\Delta z}{\Delta x},$

denn $\dfrac{\Delta y}{\Delta x}$ ist lediglich mit Δz erweitert, und Δx, Δy und Δz sind endliche Größen, so ist nach der Limesregel § 1,14 , da mit $\Delta x \longrightarrow 0$ auch $\Delta z \longrightarrow 0$ geht:

$$\lim \frac{\Delta y}{\Delta x} = \lim \left[\frac{\Delta y}{\Delta z} \cdot \frac{\Delta z}{\Delta x} \right] = \lim \frac{\Delta y}{\Delta z} \cdot \lim \frac{\Delta z}{\Delta x}$$

also $\qquad\qquad y' = f'(z) \cdot g'(x)$

oder mit Benutzung des obigen Symbols:

(6) Für $y = f[z] = f[g(x)]$ ist $y' = f'(z) \cdot g'(x)$* .

Kettenregel. Die Ableitung einer Kettenfunktion ist das Produkt der Ableitungen der Teilfunktionen.

Für die obigen Beispiele ist dann:

$f'(z) = 3 z^2$ $\qquad\qquad\qquad$ $f'(z) = \dfrac{1}{2 \sqrt{z}}$

$g'(x) = 6 x - 2 = 2 (3 x - 1)$ $\qquad$ $g'(x) = - 2 x$

$y' = 6 (3 x - 1) z^2$

$\quad = 6 (3 x - 1) (3 x^2 - 2 x + 5)^2$

$\qquad\qquad\qquad\qquad\qquad$ $y' = - \dfrac{x}{\sqrt{z}} = - \dfrac{x}{\sqrt{25 - x^2}}$

---

* Die Verallgemeinerung der Kettenregel siehe § 10.

§ 6. Produkt- und Quotientenregel

1 Produktregel

Die Funktion $y = x^2 \cdot \sqrt{x^3 + 2x}$ ist ein Produkt, dessen Faktoren wir allgemein mit u und v bezeichnen wollen, wobei u und v stetige und differenzierbare Funktionen von x sind:

$$y(x) = u(x) \cdot v(x)$$

oder kurz

$$y = u \cdot v$$

$$y + \Delta y = (u + \Delta u)(v + \Delta v)$$

$$= u \cdot v + u \cdot \Delta v + v \cdot \Delta u + \Delta u \cdot \Delta v$$

$$\Delta y = u \cdot \Delta v + v \cdot \Delta u + \Delta u \cdot \Delta v$$

$$\frac{\Delta y}{\Delta x} = u \frac{\Delta v}{\Delta x} + v \frac{\Delta u}{\Delta x} + \Delta u \frac{\Delta v}{\Delta x}$$

Für $\Delta x \longrightarrow 0$ verschwindet der letzte Summand, da mit $\Delta x \longrightarrow 0$ auch Δu und Δv verschwinden (während $\lim \frac{\Delta v}{\Delta x}$ ein endlicher Wert ist), und wir erhalten:

(7) Für $y = u \cdot v$ ist $y' = u \cdot v' + v \cdot u'$.

Die Ableitung eines Produktes ist: erster Faktor mal Ableitung des zweiten, plus zweiter Faktor mal Ableitung des ersten.

Beispiele: 1. $\quad y = x^2 \cdot \sqrt{x^3 + 2x}$

$$u = x^2 \qquad v = \sqrt{x^3 + 2x}$$

$$u' = 2x \qquad v' = \frac{3x^2 + 2}{2\sqrt{x^3 + 2x}}, \text{ nach Regel (6);}$$

$$y' = x^2 \cdot \frac{3x^2 + 2}{2\sqrt{x^3 + 2x}} + \sqrt{x^3 + 2x} \cdot 2x$$

2. $\quad y = x^3 \cdot x^5; \quad u = x^3, u' = 3x^2; \quad v = x^5, v' = 5x^4$

$$y' = x^3 \cdot 5x^4; + x^5 \cdot 3x^2 = 5x^7 + 3x^7 = 8x^7$$

In diesem Fall würde man selbstverständlich rechnen:

$$y = x^3 \cdot x^5 = x^8; \quad y' = 8x^7.$$

3. Die Produktregel erlaubt uns, die Regel **(1)** für die Ableitung von $y = x^n$ allgemein zu beweisen, nachdem wir ihre Gültigkeit für $n = 2$ (§ 3, 5) erkannt haben, und zwar durch vollständige Induktion (§ 1, 12).

(1) Die Regel gilt für $n = 2$.

(2) Wir zeigen, daß sie für $n + 1$ gilt, wenn sie für n gültig ist:

$$y = x^{n+1} = x^n \cdot x \,.$$

Nach Regel **(7)** ist

$$y' = x^n \cdot 1 + x \cdot n \cdot x^{n-1} = x^n + n \cdot x^n = (n + 1)\, x^n \,.$$

Das gleiche Ergebnis erhält man, wenn man die Regel **(1)** auf die $(n + 1)$te Potenz anwendet.

(3) Die Regel gilt für $n = 2$, also auch für $n = 3$ usw., und damit für j e d e s ganzzahlige n.

2 Quotientenregel

Die Funktion $y = \dfrac{\sqrt{x^2 - 3\,x + 2}}{x^2}$ hat die Form eines Quotienten zweier Funktionen von x:

$$y(x) = \frac{u(x)}{v(x)} \quad \text{oder kurz} \quad y = \frac{u}{v} \,,$$

wobei $u(x)$ und $v(x)$ als differenzierbar vorausgesetzt werden.

$$y + \varDelta y = \frac{u + \varDelta u}{v + \varDelta v}$$

$$\varDelta y = \frac{u + \varDelta u}{v + \varDelta v} - \frac{u}{v} = \frac{v(u + \varDelta u) - u(v + \varDelta v)}{(v + \varDelta v)\, v}$$

$$\varDelta y = \frac{v \cdot \varDelta u - u \cdot \varDelta v}{(v + \varDelta v)\, v}$$

$$\frac{\varDelta y}{\varDelta x} = \frac{1}{(v + \varDelta v)\, v} \left[v \frac{\varDelta u}{\varDelta x} - u \frac{\varDelta v}{\varDelta x} \right].$$

Für $\varDelta x \longrightarrow 0$ verschwindet $\varDelta v$ im Nenner und wir finden:

(8) Für $y = \dfrac{u}{v}$ ist $y' = \dfrac{v \cdot u' - u \cdot v'}{v^2}$ **(wenn $v \neq 0$).**

Die Ableitung eines Quotienten ist: Nenner mal Ableitung des Zählers, minus Zähler mal Ableitung des Nenners, das Ganze dividiert durch das Quadrat des Nenners.

Anmerkung. Man kann diese Regel auch unmittelbar aus der Produktregel gewinnen.

$$y = \frac{u}{v} \quad \text{oder} \quad u = y \cdot v$$

$$u' = y \cdot v' + v \cdot y' = \frac{u}{v}\, v' + v \cdot y'$$

$$v \cdot u' = u \cdot v' + v^2 \cdot y'$$

$$v \cdot u' - u \cdot v' = v^2 \cdot y'$$

$$\frac{v \cdot u' - u \cdot v'}{v^2} = y'$$

Beispiele: **1.** $\quad y = \dfrac{\sqrt{x^2 - 3x + 2}}{x^2}$

$$u = \sqrt{x^2 - 3x + 2} \qquad\qquad v = x^2$$

$$u' = \frac{2x - 3}{2\sqrt{x^2 - 3x + 2}}, \text{ nach } \textbf{(6)} \qquad v' = 2x$$

$$y' = \frac{1}{x^4}\left[x^2 \cdot \frac{2x - 3}{2\sqrt{x^2 - 3x + 2}} - \sqrt{x^2 - 3x + 2} \cdot 2x \right].$$

Diesen Ausdruck formt man zweckmäßig um, indem man x ausklammert und dann durch x kürzt und ferner den 2. Summanden mit der Wurzel (W) erweitert.

$$y' = \frac{1}{x^3} \cdot \frac{1}{2\,W}\left[x\,(2x - 3) - 4\,W^2 \right]$$

$$= \frac{1}{2\,x^3\,W}\left[x\,(2x - 3) - 4\,(x^2 - 3x + 2) \right] = \frac{-2x^2 + 9x - 8}{2\,x^3\sqrt{x^2 - 3x + 2}}$$

2. $\qquad y = \dfrac{x^7}{x^4}; \quad u = x^7, \ u' = 7x^6; \ v = x^4, \ v' = 4x^3$

$$y' = \frac{x^4 \cdot 7x^6 - x^7 \cdot 4x^3}{x^8} = \frac{3x^{10}}{x^8} = 3x^2.$$

Hier würde man natürlich rechnen: $y = \dfrac{x^7}{x^4} = x^3$, also $y' = 3x^2$.

§ 7. Umkehr- und Spiegelfunktion

1 Der freie Fall

Für den freien Fall gilt das Gesetz

$$s = \frac{1}{2} g\, t^2 \text{ (I).}$$

Der Fallweg ist eine Funktion der Zeit, $s = f(t)$,
und zwar ist der Weg dem Quadrat der Zeit proportional.

In (I) ist t die unabhängige Veränderliche, s die abhängige Veränderliche. Daß wir die Zeit als unabhängige Veränderliche wählen, geschieht aus dem natürlichen Empfinden heraus, daß die Zeit in von uns unabhängiger Weise abläuft.

Nichts aber hindert uns, umgekehrt die Zeit als Funktion des Weges zu betrachten:

$$t = \varphi(s),$$

also zu fragen: Welche Zeit braucht ein Körper, um eine bestimmte Strecke zu fallen? — während wir im allgemeinen fragen: Welcher Weg ist nach einer bestimmten Zeit zurückgelegt worden?

Bei der neuen Fragestellung haben wir das Fallgesetz in der Form

$$t = \sqrt{\frac{2}{g}\, s}$$

zu schreiben: Die Fallzeit ist der Wurzel aus dem Fallweg proportional.

2 Von der Stammfunktion zur Spiegelfunktion

Es liege die Funktion $y = x^2$ vor. Lösen wir sie nach x auf, also $x = \sqrt{y}$, so heißt diese Funktion die **Umkehrfunktion** (oder **inverse Funktion**) der **Stammfunktion** $y = x^2$. Beide Funktionen werden durch dieselbe Kurve dargestellt, denn $y = x^2$ und $x = \sqrt{y}$ sind ja nur verschiedene Schreibweisen ein und desselben Tatbestandes.

Vertauschen wir nun in der Umkehrfunktion x und y, also $y = \sqrt{x}$, so heißt die letzte Funktion die **Spiegelfunktion**, da die Vertauschung der Veränderlichen geometrisch eine Spiegelung an der 45°-Linie bedeutet.

Stammfunktion $y = x^2$, allgemein $y = f(x)$

Umkehrfunktion $x = \sqrt{y}$, $x = \varphi(y)$

Spiegelfunktion $y = \sqrt{x}$, $y = \varphi(x)$

Anmerkung. Die Spiegelung einer Kurve ist stets möglich; dagegen kann man die Funktion $x = \varphi(y)$ rechnerisch nach y nicht immer auflösen!*

---

* z.B. $x = y^4 + y^2 + y + 1$.

Während $y = x^2$ einwertig ist, ist die Spiegelfunktion $y = \sqrt{x}$ zweiwertig. Die Spiegelfunktion kann also mehrwertig sein, obwohl die Stammkurve einwertig ist.

Um die Spiegelfunktion eindeutig zu machen, setzen wir künftig ein Intervall voraus, in dem die Stammkurve monoton ist (z. B. $y = x^2$ von 0 bis $+ \infty$).

3 Die Ableitung

Es seien $x \mid y$ und $x_1 \mid y_1$ zwei Wertepaare, die die beiden Funktionen $y = f(x)$ und $x = \varphi(y)$ erfüllen. Ihre Ableitungen sind

$$y' = f'(x) = \lim \frac{\Delta y}{\Delta x}$$

und

$$x' = \varphi'(y) = \lim \frac{\Delta x}{\Delta y}.$$

Da

$$\frac{\Delta y}{\Delta x} \cdot \frac{\Delta x}{\Delta y} = 1,$$

so ist nach der Limesregel (§ 1, 14)

$$f'(x) \cdot \varphi'(y) = 1 \quad \text{oder} \quad f'(x) = \frac{1}{\varphi'(y)}$$

Entwickelt man $y = f(x)$ nach x, also $x = \varphi(y)$, so ist

$$(9) \qquad f'(x) = \frac{1}{\varphi'(y)}.$$

In Abb. 19 sind die Funktion $y = f(x)$ und ihre Spiegelfunktion $y = \varphi(x)$ nebst den Tangenten in $P(a \mid b)$ und $P_1(b \mid a)$ gezeichnet.

Aus $\tan \alpha = f'(a)$ und $\tan \beta = \varphi'(b)$

ist wegen $\alpha_1 = \alpha = 90° - \beta$: $\quad \tan \alpha = \cot \beta = \dfrac{1}{\tan \beta}$, also

$$f'(a) = \frac{1}{\varphi'(b)}, \quad \text{wobei} \quad a = \varphi(b) \text{ ist.}$$

31. Beispiele.

(1) $y = \sqrt[3]{x} = x^{1/3}$, also $x = y^3$;

$\varphi'(y) = 3 y^2 = 3 \cdot x^{2/3}$, mithin $f'(x) = \dfrac{1}{3\,x^{2/3}}$

(2) $y = \sqrt[n]{x} = x^{1/n}$, also $x = y^n$;

$\varphi'(y) = n\,y^{n-1} = n \cdot x^{\frac{n-1}{n}} = n \cdot x^{1 - \frac{1}{n}}$

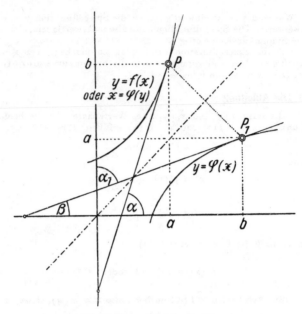

Abb. 19. Stamm- und Spiegelfunktion

mithin $f'(x) = \dfrac{1}{n \cdot x^{1-\frac{1}{n}}} = \dfrac{1}{n} \cdot x^{\frac{1}{n}-1}$

(3) $\quad y = \dfrac{1}{x^2} = x^{-2}$, also $\quad x = \dfrac{1}{\sqrt{y}} = y^{-1/2}$;

$\quad \varphi'(y) = -\dfrac{1}{2} y^{-3/2} = -\dfrac{1}{2} x^3$, mithin $\quad f'(x) = -\dfrac{2}{x^3}$

(4) $\quad y = \dfrac{1}{x^n} = x^{-n}$, also $\quad x = \dfrac{1}{\sqrt[n]{y}} = y^{-1/n}$

$\quad \varphi'(y) = -\dfrac{1}{n} \cdot y^{-\frac{1}{n}-1} = -\dfrac{1}{n} \cdot y^{-\frac{n+1}{n}} = -\dfrac{1}{n} \cdot x^{n+1}$

mithin $f'(x) = -\dfrac{n}{x^{n+1}}$

(5) $\quad y = \sqrt[3]{x^5} = x^{5/3} = z^5; \quad z = x^{1/3}; \quad$ mit **(6)** wird

$$y' = 5\,z^4 \cdot \frac{1}{3}\,x^{-2/3} = \frac{5}{3} \cdot x^{4/3} \cdot x^{-2/3} = \frac{5}{3} \cdot x^{2/3}$$

(6) $\quad y = \sqrt[n]{x^m} = x^{m/n} = z^m; \quad z = x^{1/n}$

$$y' = m \cdot z^{m-1} \cdot \frac{1}{n} \cdot x^{\frac{1}{n}-1} = \frac{m}{n}\,x^{\frac{m-1}{n}} \cdot x^{\frac{1-n}{n}} = \frac{m}{n}\,x^{\frac{m-n}{n}} = \frac{m}{n}\,x^{\frac{m}{n}-1}$$

Hieraus ergibt sich wiederum die Gültigkeit der Potenzregel **(1)** für alle rationalen Hochzahlen.

§ 8. Die trigonometrischen und zyklometrischen Funktionen

1 Die trigonometrischen Funktionen

Die trigonometrischen Funktionen werden in MR 13 und 14 behandelt.

1.1 Das Bogenmaß

Bei ihrer zeichnerischen Darstellung muß man auf der x-Achse den im Bogenmaß gemessenen Winkel auftragen. Man versteht unter x (im Bogenmaß) den Bogen des Einheitskreises, der zum Winkel $x°$ gehört. Da der Einheitskreis den Umfang $2\,\pi$ hat, so entspricht dem Vollwinkel von 360° ein Bogen von der Länge $2\,\pi$ ($= 6{,}28$).

Winkel	180°	90°	60°	45°	30°	10°	1°
Bogen	π	$\frac{1}{2}\,\pi$	$\frac{1}{3}\,\pi$	$\frac{1}{4}\,\pi$	$\frac{1}{6}\,\pi$		
	$=3{,}14$	$=1{,}57$	$=1{,}05$	$=0{,}785$	$=0{,}525$	$0{,}175$	$0{,}0175$

1.2 Periodizität

Die trigonometrischen Funktionen sind periodische Funktionen: Sinus und Cosinus nehmen im Abstand $2\,\pi$, Tangens und Cotangens im Abstand π wieder denselben Funktionswert an.

$$\sin x = \sin (x \pm 2\,\pi) \qquad \tan x = \tan (x \pm \pi)$$
$$\cos x = \cos (x \pm 2\,\pi) \qquad \cot x = \cot (x \pm \pi)$$

1.3 Stetigkeit

Die Sinusfunktion ist stetig.

$$\sin (x \pm h) = \sin x \cdot \cos h \pm \cos x \cdot \sin h$$

$$\downarrow \qquad\qquad \downarrow$$
$$1 \qquad\qquad 0$$

Wegen $\lim\limits_{h \to 0} \cos h = 1$ und $\lim\limits_{h \to 0} \sin h = 0$ wird mit der Limes-regel § 1, 12:

$$\lim_{h \to 0} \sin (x \pm h) = \sin x$$

Aus $\cos x = \sin \left(\dfrac{\pi}{2} - x \right)$ folgt die Stetigkeit des Cosinus:

$$\lim_{h \to 0} \cos (x \pm h) = \cos x$$

Da $\tan x = \dfrac{\sin x}{\cos x}$ und $\cot x = \dfrac{\cos x}{\sin x}$, so treten bei diesen beiden Funktionen **Unstetigkeitsstellen** dann auf, wenn der Nenner gleich Null wird:

$\tan x$ ist unstetig für $\cos x = 0$, d. h. wenn x ein ungerades Vielfaches von $\dfrac{\pi}{2}$ ist:

$$\lim \tan x = \infty \quad \text{für} \quad x = (2\,n - 1) \cdot \frac{\pi}{2}$$

$\cot x$ ist unstetig für $\sin x = 0$, d. h. wenn x ein Vielfaches von π ist:

$$\lim \cot x = \infty \quad \text{für} \quad x = n \cdot \pi$$

x	0	$\dfrac{1}{2}\pi$	π	$\dfrac{3}{2}\pi$	2π
$\sin x$	0	$+1$	0	-1	0
$\cos x$	$+1$	0	-1	0	$+1$
$\tan x$	0	$\pm\infty$	0	$\pm\infty$	0
$\cot x$	$\pm\infty$	0	$\pm\infty$	0	$\pm\infty$

32. Man berechne **(1)** $\lim\limits_{x \to 0} \dfrac{\sin x}{x}$ und **(2)** $\lim\limits_{x \to 0} \dfrac{1 - \cos x}{x}$

Wir berechnen zunächst zu mehreren Winkeln den Bogen (x), suchen in der Logarithmentafel $\sin x$ und $\cos x$ auf und bilden die Verhältnisse $\dfrac{\sin x}{x}$ und $\dfrac{1 - \cos x}{x}$.

Winkel	Bogen	$\sin x$	$\dfrac{\sin x}{x}$	$\cos x$	$\dfrac{1 - \cos x}{x}$
30°	0,5236	0,5000	0,955	0,8660	0,256
10°	0,17453	0,17365	0,995	0,98481	0,087
2°	0,034907	0,034900	0,9998	0,999390	0,0175
1°	0,0174533	0,0174524	0,99995	0,9998460	0,00883

Offenbar strebt (1) gegen 1 und (2) gegen 0.

Zu **(1)**: In Abb. 20 ist $\widehat{AB} = x$ der im Bogenmaß gemessene Winkel $x\left(< \dfrac{\pi}{2} \right)$. Dann ist wegen $r = 1$:

$BC = \sin x \equiv i$	$MC = \cos x \equiv o$	$DA = \tan x \equiv t$
$\varDelta\, MCB = \dfrac{1}{2}\, i \cdot o$	Sektor $MAB = \dfrac{1}{2}\, x\,*$	$\varDelta\, MAD = \dfrac{1}{2}\, t$

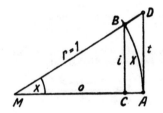

Abb. 20. Der Grenzwert von $\dfrac{\sin x}{x}$ für $x = 0$

Wegen $\quad \varDelta\, MCB <$ Sektor $MAB < \varDelta\, MAD$

ist $\qquad i \cdot o \quad < \qquad x \quad < \qquad t$

oder wenn man diese Ungleichung durch $\sin x = i$ dividiert:

$$o < \frac{x}{i} < \frac{1}{o}$$

also $\qquad\qquad \cos x < \dfrac{x}{\sin x} < \dfrac{1}{\cos x}$

---

* Aus Sektor: Kreis $= \widehat{AB} : 2\,\pi$ oder $S : \pi r^2 = x : 2\,\pi r$ wird für $r = 1$ der Sektor $S = \dfrac{1}{2}\, x$.

Für $x \neq 0$ ist $\cos x < 1$ und $\dfrac{1}{\cos x} > 1$; für $x \longrightarrow 0$ streben

$\cos x$ und $\dfrac{1}{\cos x}$ gegen 1, so daß

$$\lim_{x \to 0} \frac{x}{\sin x} = 1 \text{ und damit auch}$$

(10)
$$\lim_{x \to 0} \frac{\sin x}{x} = 1 \,.$$

Die Beziehung gilt auch für negative x-Werte, denn

$$\frac{\sin (-x)}{-x} = \frac{-\sin x}{-x} = \frac{\sin x}{x} \,.$$

Zu **(2)**: Es ist $1 - \cos x = \dfrac{(1 - \cos x)(1 + \cos x)}{1 + \cos x} = \dfrac{1 - \cos^2 x}{1 + \cos x}$

$$= \frac{\sin^2 x}{1 + \cos x}$$

$$\frac{1 - \cos x}{x} = \frac{\sin x}{x} \cdot \frac{\sin x}{1 + \cos x} \,.$$

Mit der Limesregel § 1,14 wird, da der erste Bruch nach **(10)** den Grenzwert 1, der zweite den Wert 0 hat:

(11)
$$\lim_{x \to 0} \frac{1 - \cos x}{x} = 0 \,.$$

1.4 Die Ableitungen der trigonometrischen Funktionen.

1.4.1 $y = \sin x$; $\quad y + \Delta y = \sin (x + \Delta x)$

$\Delta y = \sin (x + \Delta x) - \sin x$

$\quad = \sin x \cdot \cos \Delta x + \cos x \cdot \sin \Delta x - \sin x$

$\quad = \sin x (\cos \Delta x - 1) + \cos x \cdot \sin \Delta x$

$$\frac{\Delta y}{\Delta x} = \sin x \cdot \frac{\cos \Delta x - 1}{\Delta x} + \cos x \cdot \frac{\sin \Delta x}{\Delta x}$$

Die beiden Brüche haben nach (11) und (10) die Grenzwerte 0 bzw. 1, so daß

$$y' = \lim_{\Delta x \to 0} \frac{\Delta y}{\Delta x} = \cos x \,.$$

1.4.2 $y = \cos x = \sin \left(\dfrac{\pi}{2} - x \right) = \sin z \quad \text{mit} \quad z = \dfrac{\pi}{2} - x \,.$

Die Kettenregel liefert $y' = \cos z \cdot (-1) = -\cos\left(\dfrac{\pi}{2} - x\right) = -\sin x$.

1.4.3 $\quad y = \tan x = \dfrac{\sin x}{\cos x} = \dfrac{u}{v}$; $u' = \cos x$, $v' = -\sin x$.

Mit der Quotientenregel (8) wird

$$y' = \frac{\cos x \cdot \cos x - \sin x \cdot (-\sin x)}{\cos^2 x} = \frac{\cos^2 x + \sin^2 x}{\cos^2 x}$$

$$= \frac{1}{\cos^2 x} = 1 + \tan^2 x$$

1.4.4 $\quad y = \cot x = \dfrac{1}{\tan x} = \tan^{-1} x = z^{-1}$ mit $z = \tan x$

Mit (6) wird $y' = -\dfrac{1}{z^2} \cdot \dfrac{1}{\cos^2 x} = -\dfrac{1}{\tan^2 x \cdot \cos^2 x} = -\dfrac{1}{\sin^2 x}$

Anmerkungen. Man kann $y = \cos x$ auch wie in 1.4.1 und $y = \cot x$ wie in 1.4.3 angegeben ableiten.

Eine andere Art, die Ableitung zu finden, haben wir gelegentlich schon benutzt § 3, 5.2). Wir wenden sie auf $y = \sin x$ an. Mit $y_1 = \sin x_1$ ist

$$\varDelta y = \sin x_1 - \sin x = 2 \cos \frac{x_1 + x}{2} \sin \frac{x_1 - x}{2} \,*$$

oder wegen $x_1 = x + \varDelta x$:

$$\varDelta y = 2 \cos\left(x + \frac{\varDelta x}{2}\right) \sin \frac{\varDelta x}{2}$$

$$\frac{\varDelta y}{\varDelta x} = 2 \cos\left(x + \frac{\varDelta x}{2}\right) \frac{\sin \dfrac{\varDelta x}{2}}{\varDelta x} = \cos\left(x + \frac{\varDelta x}{2}\right) \frac{\sin \dfrac{\varDelta x}{2}}{\dfrac{\varDelta x}{2}},$$

wenn wir $\dfrac{2}{\varDelta x} = \dfrac{1}{\dfrac{\varDelta x}{2}}$ schreiben. Der zweite Faktor hat nach (10)

den Grenzwert 1 für $\varDelta x \longrightarrow 0$, so daß $y' = \cos x$ (wie oben).

(12) Für $y = \sin x$ ist $y' = \cos x$.

---

* $\sin \alpha - \sin \beta = 2 \cos \dfrac{\alpha + \beta}{2} \sin \dfrac{\alpha - \beta}{2}$.

(13) Für $y = \cos x$ **ist** $y' = -\sin x$.

(14) Für $y = \tan x$ **ist** $y' = \dfrac{1}{\cos^2 x} = 1 + \tan^2 x;\ x \neq (2\,n-1)\dfrac{\pi}{2}$

(15) Für $y = \cot x$ **ist** $y' = -\dfrac{1}{\sin^2 x} = -(1+\cot^2 x);\ x \neq n\cdot\pi$

Aus (14) und (15) erkennen wir, daß tan x stets zunehmend, cot x stets abnehmend ist.

2 Die zyklometrischen Funktionen

2.1 Definition

Die zyklometrischen Funktionen sind die **Spiegelfunktionen** der trigonometrischen Funktionen.

Bei der trigonometrischen Funktion $x = \sin y$ suchen wir zu einem gegebenen Bogen (y) den Sinus (x). Die umgekehrte Frage lautet: Wie groß ist der Bogen y, wenn der Sinus den Wert x hat[*]? Will man also $x = \sin y$ nach y auflösen, so benutzt man die Schreibweise

$$y = \text{arc sin } x \text{ (lies: arcus sinus } x).$$

Dieses Symbol bedeutet: y ist der Bogen (= arcus), dessen Sinus gleich x ist (Abb. 21).

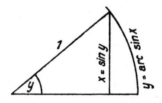

Abb. 21. $y = \text{arc sin } x$ oder $x = \sin y$

Es ist beispielsweise $\sin 30° = \sin \dfrac{\pi}{6} = \dfrac{1}{2}$; dann ist

$$\frac{\pi}{6} = \text{arc sin } \frac{1}{2} :$$

---

[*] Vergleiche: Man sucht in der Logarithmentafel zu einem Sinus den Winkel auf.

$\dfrac{\pi}{6} = 0{,}5236$ ist der Bogen, dessen Sinus gleich $\dfrac{1}{2}$ ist.

$y = \text{arc sin } x$ ist die Spiegelfunktion von $y = \sin x$

$y = \text{arc cos } x$ ist die Spiegelfunktion von $y = \cos x$

$y = \text{arc tan } x$ ist die Spiegelfunktion von $y = \tan x$

$y = \text{arc cot } x$ ist die Spiegelfunktion von $y = \cot x$

2.2 Beispiele.

$$\text{arc sin } \frac{\sqrt{2}}{2} = \frac{\pi}{4}, \quad \text{denn} \quad \sin \frac{\pi}{4} = \frac{\sqrt{2}}{2}$$

$$\text{ars cos } \frac{\sqrt{3}}{2} = \frac{\pi}{6}, \quad \text{denn} \quad \cos \frac{\pi}{6} = \frac{\sqrt{3}}{2}$$

$$\text{arc tan } \sqrt{3} = \frac{\pi}{3}, \quad \text{denn} \quad \tan \frac{\pi}{3} = \sqrt{3}$$

$$\text{arc cot } 1 = \frac{\pi}{4}, \quad \text{denn} \quad \cot \frac{\pi}{4} = 1$$

Stammfunktion	Umkehrfunktion	Spiegelfunktion
$y = \sin x$	$x = \text{arc sin } y$	$y = \text{arc sin } x$

2.3 Wertigkeit

Die Periodizität der trigonometrischen Funktionen bedingt, daß die zyklometrischen Funktionen unendlich-vielwertig sind. Wir setzen deshalb fest:

Der „Hauptwert" von	liegt zwischen $y =$	Die Funktion ist für den Hauptwert
$y = \text{arc sin } x$	$-\dfrac{\pi}{2}$ und $+\dfrac{\pi}{2}$	mon. zunehmend
$y = \text{arc cos } x$	0 und $+\pi$	mon. abnehmend
$y = \text{arc tan } x$	$-\dfrac{\pi}{2}$ und $+\dfrac{\pi}{2}$	mon. zunehmend
$y = \text{arc cot } x$	0 und $+\pi$	mon. abnehmend

2.4 Die Ableitungen

der zyklometrischen Funktionen finden wir nach Regel (9).

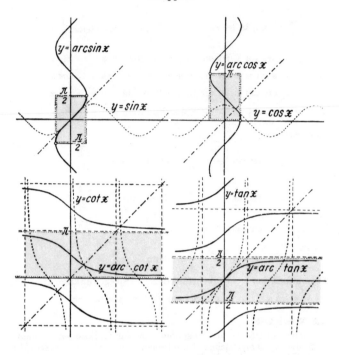

Abb. 22. Die trigonometrischen und zyklometrischen Funktionen

2.4.1 $y = \text{arc sin } x$, also $x = \sin y$.

$$\varphi'(y) = \cos y, \quad \text{also} \quad f'(x) = \frac{1}{\cos y} = \frac{1}{\sqrt{1 - \sin^2 y}} = \frac{1}{\sqrt{1 - x^2}}$$

2.4.2 $y = \text{arc cos } x$, also $x = \cos y = \sin\left(\frac{\pi}{2} - y\right);$

dann ist $\frac{\pi}{2} - y = \text{arc sin } x$ oder $y = \frac{\pi}{2} - \text{arc sin } x$, also

$$y' = -\frac{1}{\sqrt{1 - x^2}}$$

2.4.3 $y = \text{arc tan } x$, also $x = \tan y$

$$\varphi'(y) = 1 + \tan^2 y = 1 + x^2, \quad \text{also} \quad f'(x) = \frac{1}{1 + x^2}$$

2.4.4 $y = \text{arc cot } x$, also $x = \cot y = \tan\left(\dfrac{\pi}{2} - y\right)$

und wie in 2.4.2 schließlich $y' = -\dfrac{1}{1 + x^2}$

(16) Für $y = \text{arc sin } x$ **ist** $y' = \dfrac{1}{\sqrt{1 - x^2}}$			$x \neq \lvert 1 \rvert$ Für den Hauptwert beider Funktionen
(17) Für $y = \text{arc cos } x$ **ist** $y' = -\dfrac{1}{\sqrt{1 - x^2}}$			kommt nur der Hauptwert der Wurzel $(+)$ in Betracht.

(18) Für $y = \text{arc tan } x$ **ist** $y' = \dfrac{1}{1 + x^2}$

(19) Für $y = \text{arc cot } x$ **ist** $y' = -\dfrac{1}{1 + x^2}$.

Die trigonometrischen und zyklometrischen Funktionen sind **transzendente** Funktionen (vgl. § 1, 11).

Die Bedeutung und Anwendungen der behandelten Funktionen lernen wir in Band 34 kennen.

§ 9. Die Exponential- und Logarithmusfunktionen

Vorbemerkung. Der Zehnerlogarithmus ist definiert als die Hochzahl zur Basis 10 (MR 23, § 49):

$$^{10}\log 2 = 0{,}301 \text{ bedeutet } 10^{0,301} = 2\,,$$

ebenso $\quad ^{a}\log z = q \quad$ bedeutet $\quad a^q = z$.

1 $\begin{cases} y = {}^{a}\log x \text{ ist die (allgemeine) Logarithmusfunktion,} \\ y = a^x \quad \text{ist die (allgemeine) Exponentialfunktion}* \end{cases}$

Stammfunktion	Umkehrfunktion	Spiegelfunktion
$y = {}^{a}\log x$	$x = a^y$	$y = a^x$
$y = a^x$	$x = {}^{a}\log y$	$y = {}^{a}\log x$

---

* Im Gegensatz zur Potenzfunktion $y = x^n$ tritt hier die Veränderliche als Exponent auf.

33. Die Exponentialfunktion $y = 2^x$ ist zu zeichnen und an der 45°-Linie zu spiegeln. Man erhält das Bild der Funktion $x = 2^y$, was gleichbedeutend ist mit $y = {}^2\!\log x$ (Abb. 23).

$$y = 2^x$$

x	-3	-2	-1	**0**	1	2	3	y
y	$\dfrac{1}{8}$	$\dfrac{1}{4}$	$\dfrac{1}{2}$	1	2	4	8	x

$$y = {}^2\!\log x$$

2 $\begin{cases} y = e^x \text{ ist die Exponentialfunktion} \\ y = \ln x \text{ ist die natürliche Logarithmusfunktion,} \end{cases}$

$y = e^x$ wurde in MR 23, § 66 als die Funktion des stetigen Wachstums erkannt.

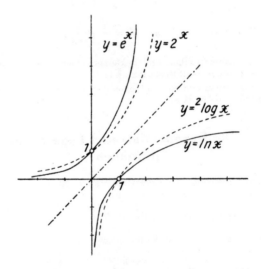

Abb. 23. Exponential- und Logarithmusfunktionen

Wählt man die Zahl e als Basis eines Logarithmensystems, so spricht man von den „natürlichen" Logarithmen und schreibt ln (logarithmus naturalis) statt ${}^e\!\log$:

In Abb. 23 sind beide Funktionen gezeichnet. Die Wertetafel berechnet man logarithmisch.

$$y = e^x \quad \begin{array}{c|ccccccc|c} x & -1,5 & -1 & -0,5 & \mathbf{0} & 0,5 & 1 & 1,5 & y \\ \hline y & 0,22 & 0,37 & 0,61 & \mathbf{1} & 1,65 & 2,72 & 4,48 & x \end{array} \quad y = \ln x$$

3 Eigenschaften

Die Exponentialfunktion (ebenso die Logarithmusfunktion als Spiegelfunktion) ist **einwertig, stetig** und **monoton zunehmend.**

(1) $\quad a^{x+h} = a^x \cdot a^h \quad$ und $\quad a^{x-h} = \dfrac{a^x}{a^h} \quad$ (es sei $a > 1$*)

Wegen $\lim\limits_{h \to 0} a^h = 1$ ist $\lim\limits_{h \to 0} a^{x \pm h} = a^x$.

(2) $y = a^x$, $y + \Delta y = a^{x + \Delta x} = a^x \cdot a^{\Delta x}$, $\Delta y = a^x (a^{\Delta x} - 1)$

Für $\Delta x > 0$ ist $a^{\Delta x} > 1$, also $a^{\Delta x} - 1 > 0$ und damit auch $\Delta y > 0$.

(3) $y = \log x$, $\quad y + \Delta y = \log (x + \Delta x)$

$$\Delta y = \log (x + \Delta x) - \log x = \log \frac{x + \Delta x}{x} = \log \left(1 + \frac{\Delta x}{x} \right)$$

Für $\Delta x > 0$ ist $1 + \dfrac{\Delta x}{x} > 1$, also $\log \left(1 + \dfrac{\Delta x}{x} \right) > 0$, und damit auch $\Delta y > 0$.

Die Exponential- und Logarithmusfunktion sind **transzendente** Funktionen (§ 1, 11).

4 Ableitungen

Zu den **Ableitungen**** kann man auf verschiedenen Wegen gelangen, je nachdem von welcher Funktion man ausgeht.

4.1 $y = {}^a\log x$*.**

Nach (3) ist $\Delta y = \log \left(1 + \dfrac{\Delta x}{x} \right)$

$$\frac{\Delta y}{\Delta x} = \frac{\log \left(1 + \dfrac{\Delta x}{x} \right)}{\Delta x} = \frac{1}{x} \cdot \frac{\log \left(1 + \dfrac{\Delta x}{x} \right)}{\dfrac{\Delta x}{x}},$$

---

* Die Forderung $a > 1$ bedeutet insofern keine Einschränkung, als für $a = 1$ die Funktion $y = 1^x = 1$ eine Gerade darstellt, und für $0 < a < 1$, also $a = \dfrac{1}{c}$ (mit $c > 1$) die Funktion $y = \left(\dfrac{1}{c} \right)^x = \dfrac{1}{c^x} = c^{-x}$ nur das Spiegelbild von $y = c^x$ in Bezug auf die y-Achse ist.

** Im folgenden wird auf die nachstehenden Regeln verwiesen:

(1) $\log a - \log b = \log \dfrac{a}{b}$: (2) $n \log a = \log a^n$ (MR 23, § 50)

(3) $a^{m+n} = a^m \cdot a^n$; (4) $(a^n)^m = a^{nm}$ (MR 23, § 38)

*** Die Basis a ist da, wo keine Verwechslung möglich ist, im folgenden weggelassen.

wenn man den Nenner mit x erweitert. Wir untersuchen den Grenzwert des zweiten Bruches (b) für $\Delta x \longrightarrow 0$ (bei endlichem positivem x) und setzen

$$\frac{\Delta x}{x} = \frac{1}{n}, \quad \text{wobei} \quad \frac{\Delta x}{x} \longrightarrow 0, \text{ wenn } n \longrightarrow \infty.$$

$$b = \frac{\log\left(1 + \frac{1}{n}\right)}{\frac{1}{n}} = n \cdot \log\left(1 + \frac{1}{n}\right) = \log\left(1 + \frac{1}{n}\right)^n$$

Wegen $\lim\limits_{n \to \infty}\left(1 + \frac{1}{n}\right)^n = e$ (§ 1, 17.4; MR 23, § 66) ist

$$\lim b = \lim \log\left(1 + \frac{1}{n}\right)^n = \log \lim\left(1 + \frac{1}{n}\right)^n = \log e \,^*$$

folglich $\qquad\qquad y' = \dfrac{1}{x} \log e$

(20) **Für $y = {}^a\!\log x$ ist $y' = \dfrac{{}^a\!\log e}{x}$** (mit $x > 0$).

4.2 $y = \ln x$.

Mit e als Basis erhalten wir aus (20) wegen ${}^e\!\log e = 1$:

(21) **Für $y = \ln x$ ist $y' = \dfrac{1}{x}$** (mit $x > 0$).

Die natürliche Logarithmusfunktion ist die einzige transzendente Funktion mit rationaler Ableitung.

In der Reihe der Potenzfunktionen füllt sie die dort verbliebene Lücke x^{-1} in den Ableitungen aus:

y	x^2	x^1	$\ln x$	x^{-1}	x^{-2}
y'	$2 \cdot x^1$	x^0	x^{-1}	$-x^{-2}$	$-2 \cdot x^{-3}$

4.3 $y = a^x$.

Da $\qquad\qquad\qquad x = {}^a\!\log y$,

so ist nach (20) $\qquad \varphi'(y) = \dfrac{{}^a\!\log e}{y}$,

---

* Wegen der Stetigkeit der Logarithmusfunktion dürfen die Zeichen lim und log vertauscht werden (ohne Beweis).

also
$$f'(x) = \frac{y}{{}^a\!\log e} = \frac{a^x}{{}^a\!\log e}.$$

(22) Für $y = a^x$ **ist** $y' = \dfrac{a^x}{{}^a\!\log e}.$

4.4 $y = e^x$.

Mit e als Basis erhält man aus (22): $y' = e^x$.

(23) Für $y = e^x$ **ist** $y' = e^x$.

Die Exponentialfunktion ist die einzige Funktion, deren Ableitung gleich der Funktion selbst ist.

Diese Aussage trifft auch für die Funktion $y = a \cdot e^x$ zu ($y' = a \cdot e^x$). Für die Funktion $y = a \cdot e^{cx}$ ist $y' = a \cdot c \cdot e^{cx} = c \cdot y$, d.h. die Ableitung ist der Funktion proportional (Näheres siehe MR 36).

4.5 Zwischen den Logarithmen mit der Basis a und der Basis e besteht die Beziehung

(24) $\qquad\qquad {}^a\!\log e \cdot \ln a = 1.$

Beweis. Wir setzen $a^m = e^n$.

Durch Logarithmieren erhält man

$$m \cdot {}^a\!\log a = n \cdot {}^a\!\log e \quad \text{bzw.} \quad m \cdot \ln a = n \cdot \ln e$$
$$\qquad\;\downarrow \qquad\qquad\qquad\qquad\qquad\qquad\quad\;\downarrow$$
$$\qquad\;1 \qquad\qquad\qquad\qquad\qquad\qquad\quad\;1$$

$$\frac{m}{n} = {}^a\!\log e \qquad\qquad\qquad \ln a = \frac{n}{m}$$

und daraus (24). Die Formeln (22) und (20) können wegen (24) auch wie folgt geschrieben werden:

(22a) Für $y = a^x$ **ist** $y' = a^x \cdot \ln a$.

(20a) Für $y = {}^a\!\log x$ **ist** $y' = \dfrac{1}{x \cdot \ln a}.$

Die natürlichen Logarithmen sind rund 2,3mal so groß wie die Zehnerlogarithmen. Aus $a = e^p$ entsteht $p = \ln a$ bzw. $p \cdot {}^{10}\!\log e = {}^{10}\!\log a$ oder wegen ${}^{10}\!\log e = 0{,}43429$:

$$\ln a = \frac{{}^{10}\!\log a}{0{,}43429} = 2{,}3026 \cdot {}^{10}\!\log a \quad \text{(Näheres in MR 34, § 32).}$$

§ 10. Erweiterung der Kettenregel
(Äußere und innere Ableitung)

Die Schreibarbeit beim Differenzieren verwickelter Funktionen mit Hilfe der Kettenregel kann sehr vereinfacht werden, wenn wir den Begriff der „äußeren und inneren Ableitung" einführen.

Beispiele:

1. $y = (x^3 + 2\,x)^4$.

Die Klammer sei ein Kasten, dessen Inhalt wir noch nicht kennen. Äußerlich sehen wir nur den Kasten mit der Hochzahl 4, d. h. eine 4. Potenz. Ihre Ableitung ist 4mal die 3. Potenz:

äußere Ableitung (a. A.) $= 4\,(x^3 + 2\,x)^3$.

Wir öffnen den Kasten und sehen seinen Inhalt $x^3 + 2\,x$:

innere Ableitung (i. A.) $= 3\,x^2 + 2$.

Nach der Kettenregel ist y' das Produkt aus äußerer und innerer Ableitung:

$$y' = \underbrace{4\,(x^3 + 2\,x)^3}_{\text{a. A.}} \cdot \underbrace{(3\,x^2 + 2)}_{\text{i. A.}}.$$

Selbstverständlich schreibt man die beiden Ableitungen sofort als Faktoren nebeneinander und erhält damit y' ohne jede Zwischenrechnung.

2. $y = (a\,x^2 + b\,x + c)^3$

$$y' = \underbrace{3\,(a\,x^2 + b\,x + c)^2}_{\text{a. A.}} \cdot \underbrace{(2\,a\,x + b)}_{\text{i. A.}}$$

34. $y = \sqrt{5\,x^2 + 3}$

Der Radikand steckt unter der Wurzel gewissermaßen wie unter einer Decke.

$$y' = \underbrace{\frac{1}{2\,\sqrt{5\,x^2 + 3}}}_{\text{a. A.}} \cdot \underbrace{10\,x}_{\text{i. A.}} = \frac{5\,x}{\sqrt{5\,x^2 + 3}}$$

35. $y = \sqrt{(3\,x^2 + 2\,x + 1)^3} = (3\,x^2 + 2\,x + 1)^{3/2}$

$$y' = \underbrace{\frac{3}{2}\,(3\,x^2 + 2\,x + 1)^{1/2}}_{\text{a. A.}} \cdot \underbrace{(6\,x + 2)}_{\text{i. A.}} = 3\,(3\,x + 1)\,\sqrt{3\,x^2 + 2\,x + 1}$$

Besonderen Vorteil bietet das Verfahren, wenn derartige Ausdrücke in Produkten oder Quotienten auftreten:

36. $y = (3\,x^2 + 2)^2 \cdot \sqrt{5\,x^2 - 4} = K^2 \cdot W$

$$y' = \overbrace{(3\,x^2 + 2)^2}^{u} \cdot \overbrace{\frac{1}{2\,W}}^{v'} \cdot 10\,x + \overbrace{W}^{v} \cdot \overbrace{2\,(3\,x^2 + 2) \cdot 6\,x}^{u'}$$

$$\;\;\underset{\text{a. A.}}{}\quad \underset{\text{i. A.}}{} \qquad\qquad \underset{\text{a. A.}}{}\qquad\quad \underset{\text{i. A.}}{}$$

oder kürzer: $y' = K^2 \cdot \dfrac{1}{2\,W} \cdot 10\,x + W \cdot 2\,K \cdot 6\,x$

$$= \frac{x \cdot K}{W}\,[5\,K + 12\,W^2]^{*}$$

$$= \frac{x \cdot K}{W}\,[5\,(3\,x^2 + 2) + 12\,(5\,x^2 - 4)]$$

$$= \frac{x\,(3\,x^2 + 2)\,(75\,x^2 - 38)}{\sqrt{5\,x^2 - 4}}$$

37. $y = \sin^2 x = (\sin x)^2$

$$y' = \underbrace{2\,\sin x}_{\text{a. A.}} \cdot \underbrace{\cos x}_{\text{i. A.}} = \sin 2\,x$$

38. $y = \sin^3 (4\,x^2 + 2)$ **

äußere Abl. der 3. Potenz $= 3\,\sin^2 (4\,x^2 + 2)$
innere Abl. des Sinus $\;\;\;\,= \cos (4\,x^2 + 2)$
innerste Abl. der Klammer $= 8\,x$

$$y' = 24\,x \cdot \sin^2 (4\,x^2 + 2) \cdot \cos (4\,x^2 + 2)$$

39. $y = e^{-c\,x} \cdot \sin (a\,x + b)$

$$y' = \overbrace{e^{-c\,x}}^{u}\;\overbrace{\cos (a\,x + b)}^{v'} \cdot a + \overbrace{\sin (a\,x + b)}^{v} \cdot \overbrace{e^{-c\,x} \cdot (-c)}^{u'}$$

$$\qquad\; \underset{\text{a. A.}}{}\;\; \underset{\text{i. A.}}{} \qquad\qquad\qquad \underset{\text{a. A.}}{}\;\; \underset{\text{i. A.}}{}$$

$$= e^{-c\,x}\,[a \cdot \cos (a\,x + b) - c \cdot \sin (a\,x + b)]$$

---

* Man macht gleichnamig und klammert x und K aus.
** In diesem Beispiel $y = F(x)$ wird die verallgemeinerte Kettenregel angewandt:
$$y = f(z), \quad z = g(t), \quad t = h(x)$$
$$y' = f'(z) \cdot g'(t) \cdot h'(x).$$

§ 11. Implizite Funktionen

1 Definition

Die bisher betrachteten Funktionen waren explizite (= „entwickelte") Funktionen; sie waren nach y aufgelöst.

$$y = m\,x + b \qquad\quad y = a\,x^2 + b\,x + c \qquad\quad y = \sqrt{r^2 - x^2}$$
$$\text{Gerade} \qquad\qquad\qquad \text{Parabel} \qquad\qquad\qquad\qquad \text{Kreis}$$

Im Gegensatz dazu heißen

$$a\,x + b\,y + c = 0 \qquad\quad x^2 + y^2 = r^2 \qquad\quad x \cdot y = k^2$$
$$\text{Gerade} \qquad\qquad\qquad \text{Kreis} \qquad\qquad\qquad \text{Hyperbel}$$

implizite (= „unentwickelte") Funktionen.

In den meisten Fällen kann eine implizite Funktion auch explizit geschrieben

$$y = -\frac{a}{b}\,x - \frac{c}{b} \qquad\quad y = \sqrt{r^2 - x^2} \qquad\quad y = \frac{k^2}{x}$$

und dann nach den bekannten Regeln differenziert werden:

$$y' = -\frac{a}{b} \qquad\qquad y' = \frac{-x}{\sqrt{r^2 - x^2}} \qquad\quad y' = -\frac{k^2}{x^2}$$

Häufig liefert die explizite Darstellung einer Funktion einen schwierig zu differenzierenden Ausdruck, in manchen Fällen ist sie sogar unmöglich. Für solche Fälle brauchen wir ein besonderes Verfahren.

2 Beispiel

Wir wählen als Beispiel den Kreis $x^2 + y^2 = r^2$.

Dann ist $\qquad (x + \Delta x)^2 + (y + \Delta y)^2 = r^2$.

Wir subtrahieren die erste von der zweiten Gleichung:

$$(x + \Delta x)^2 - x^2 + (y + \Delta y)^2 - y^2 \quad = 0$$

$$(2\,x + \Delta x) \cdot \Delta x + (2\,y + \Delta y) \cdot \Delta y = 0.$$

Wir dividieren durch Δx:

$$2\,x + \Delta x + (2\,y + \Delta y) \cdot \frac{\Delta y}{\Delta x} = 0.$$

Mit $\Delta x \longrightarrow 0$ geht auch $\Delta y \longrightarrow 0$:

$$2\,x + 2\,y \cdot y' = 0,$$

daraus $\qquad y' = -\frac{x}{y} = -\frac{x}{\sqrt{r^2 - x^2}}$ (wie oben).

3 Allgemeine Betrachtung

Ist allgemein $\qquad\qquad f(x) + \varphi(y) = 0$,

also $\qquad\qquad f(x + \Delta x) + \varphi(y + \Delta y) = 0$, so wird, wenn wir die beiden Gleichungen voneinander subtrahieren und durch Δx dividieren:

$$\frac{f(x + \Delta x) - f(x)}{\Delta x} + \frac{\varphi(y + \Delta y) - \varphi(y)}{\Delta x} = 0$$

Wir erweitern den zweiten Bruch mit Δy:

$$\frac{f(x + \Delta x) - f(x)}{\Delta x} + \frac{\varphi(y + \Delta y) - \varphi(y)}{\Delta y} \frac{\Delta y}{\Delta x} = 0.$$

Beim Grenzübergang $\Delta x \longrightarrow 0$ erhalten wir

$$f'(x) + \varphi'(y) \cdot y' = 0,$$

daraus

$$y' = -\frac{f'(x)}{\varphi'(y)}.$$

(25) Für $f(x) + \varphi(y) = 0$ ist $f'(x) + \varphi'(y) \cdot y' = 0$, oder

$$\boldsymbol{y' = -\frac{f'(x)}{\varphi'(y)}.}$$

Glieder, die nur x enthalten — also $f(x)$ —, werden nach den betreffenden Regeln differenziert $\longrightarrow f'(x)$; Glieder, die nur y enthalten, werden ebenso differenziert $\longrightarrow \varphi'(y)$, jedoch ist diese Ableitung noch mit y' zu multiplizieren.

Aufgaben

40. $\dfrac{x^2}{a^2} + \dfrac{y^2}{b^2} = 1$ (Ellipse); $\dfrac{2x}{a^2} + \dfrac{2y}{b^2} y' = 0$, daraus $y' = -\dfrac{b^2 x}{a^2 y}$

41. $a x^2 + b x + c y^2 + d y + e = 0$ (Kegelschnitt);

$$2 a x + b + (2 c y + d) \cdot y' = 0, \text{ daraus } y' = -\frac{2 a x + b}{2 c y + d}$$

42. $a y^3 + b x^2 + c y + d = 0$

$$3 a y^2 \cdot y' + 2 b x + c \cdot y' = 0, \text{ daraus } y' = -\frac{2 b x}{3 a y^2 + c}$$

43. $x^3 y + x^2 y^2 + x y^3 = 0.$

Die hier auftretenden Produkte, in denen **beide** Veränderliche vorkommen, werden nach der **Produktregel** differenziert*:

---

* Der Beweis geht über den Rahmen der Schulmathematik und kann nur mit „partiellen" Ableitungen geführt werden.

$$x^3 \cdot y' + y \cdot 3\,x^2 + x^2 \cdot 2\,y \cdot y' + y^2 \cdot 2\,x + x \cdot 3\,y^2 \cdot y' + y^3 = 0$$

$$y' = -\frac{3\,x^2 y + 2\,xy^2 + y^3}{x^3 + 2\,x^2 y + 3\,xy^2}$$

44. $x \cdot y - k^2 = 0$; $x \cdot y' + y = 0$; $y' = -\dfrac{y}{x} = -\dfrac{k^2}{x^2}$,

was man hier auch aus der expliziten Funktion erhalten kann (siehe 1).

45. $x^2\,y^3 - c = 0$; $x^2 \cdot 3\,y^2 \cdot y' + y^3 \cdot 2\,x = 0$; $y' = -\dfrac{2\,y}{3\,x}$

46. $\ln y = x \cdot \ln x$; $\dfrac{1}{y}\,y' = x \cdot \dfrac{1}{x} + \ln x$; $y' = y\,(1 + \ln x)$

4 Logarithmisches Differenzieren

In der Potenzfunktion $y = x^a$ tritt x als Basis, in der Exponentialfunktion $y = a^x$ als Hochzahl auf. Die Funktion

$$y = x^x$$

enthält x als **Basis** und **Exponent**. Um sie differenzieren zu können, bildet man beiderseits den natürlichen Logarithmus:

$$\ln y = x \cdot \ln x.$$

Nach Aufgabe 46 ist dann $\quad y' = x^x\,(1 + \ln x)$.

Auch die Funktion

$$y = \sqrt[x]{x} = x^{\frac{1}{x}}$$

wird differenziert, indem man vorher logarithmiert:

$$\ln y = \frac{1}{x} \cdot \ln x$$

$$\frac{1}{y}\,y' = \frac{1}{x} \cdot \frac{1}{x} + \ln x\left(-\frac{1}{x^2}\right) = \frac{1 - \ln x}{x^2}$$

$$y' = \sqrt[x]{x} \cdot \frac{1 - \ln x}{x^2}$$

§ 12. Übungsaufgaben

Die nachstehenden Aufgaben sind zum größten Teil den an gewandten Aufgaben in diesem und dem folgenden Band entnommen. Ihre Durchrechnung sollte deshalb keinesfalls übergangen werden.

47. $y = x(a - 2x)^2 = a^2 x - 4ax^2 + 4x^3$; $y' = a^2 - 8ax + 12x^2$

48. $y = \dfrac{a}{x} = a \cdot x^{-1}$; $y' = -a \cdot x^{-2} = -\dfrac{a}{x^2}$

49. $y = \dfrac{a}{x^2}$; $y' = -\dfrac{2a}{x^3}$

50. $y = x + \dfrac{ab}{x}$; $y' = 1 - \dfrac{ab}{x^2}$

51. $y = ax^2 + \dfrac{2b}{x}$; $y' = 2ax - \dfrac{2b}{x^2} = \dfrac{2}{x^2}(ax^3 - b)$

52. $y = x^2 + \dfrac{a^2}{x^2}$; $y' = \dfrac{2}{x^3}(x^4 - a^2)$

53. $y = x - \dfrac{a^2}{x^3}$; $y' = 1 + \dfrac{3a^2}{x^4}$

54. $y = x^4 + \dfrac{a}{x^2}$; $y' = \dfrac{2}{x^3}(2x^6 - a)$

55. $y = \dfrac{1}{x} - \dfrac{a^2}{x^3}$; $y' = \dfrac{1}{x^4}(3a^2 - x^2)$

56. $y = \dfrac{3a^2}{x^4} - \dfrac{1}{x^2}$; $y' = \dfrac{2}{x^5}(x^2 - 6a^2)$

57. $y = \dfrac{a}{(x+b)^2} = a(x+b)^{-2}$; $y' = -\dfrac{2a}{(x+b)^3}$

58. $y = \dfrac{a}{(b-x)^2}$; $y' = -2a(b-x)^{-3} \cdot (-1) = \dfrac{2a}{(b-x)^3}$

59. $y = x(a-2x)^2$; $u = x \qquad\qquad u' = 1$
$$v = (a-2x)^2 \qquad v' = -4(a-2x)$$
$$y' = (a-2x)(a-6x)$$

60. $y = x^2(4a^2 - x^2)^3$; $u' = 2x$, $v' = -6x(4a^2 - x^2)^2$
$$y' = 8x(4a^2 - x^2)^2(a^2 - x^2)$$

61. $y = \dfrac{x}{x^2 + ab}$; $u = x$, $u' = 1$, $v = x^2 + ab$, $v' = 2x$

$$y' = \frac{(x^2 + ab) - x \cdot 2x}{N^2} = \frac{ab - x^2}{(x^2 + ab)^2} \text{ *}$$

62. $y = \dfrac{x^2}{x - 2a}$; $y' = \dfrac{x(x - 4a)}{(x - 2a)^2}$

63. $y = \dfrac{x^4}{2x - a}$; $y' = \dfrac{(2x - a) \cdot 4x^3 - 2x^4}{N^2} = \dfrac{2x^3(3x - 2a)}{(2x - a)^2}$

64. $y = \dfrac{x - 1{,}5}{x + 0{,}5}$; $y' = \dfrac{2}{(x + 0{,}5)^2}$

65. $y = \dfrac{x^2 + 1}{x + 0{,}75}$; $y' = \dfrac{1}{N^2}(x^2 + 1{,}5\,x - 1)$

66. $y = \dfrac{\frac{1}{2}x^2 + 1}{x - 1}$; $y' = \dfrac{1}{N^2}\left(\dfrac{1}{2}x^2 - x - 1\right)$

67. $y = \dfrac{x}{x^2 - 4}$; $y' = -\dfrac{1}{N^2}(x^2 + 4)$

68. $y = \dfrac{x^2 - 9}{x^2 - 4}$; $y' = \dfrac{10x}{(x^2 - 4)^2}$

69. $y = \dfrac{x}{(x^2 - 4)^2} = \dfrac{x}{K^2}$; $y' = \dfrac{1}{K^4}(K^2 - x \cdot 2K \cdot 2x)$

$$= -\frac{3x^2 + 4}{(x^2 - 4)^3}$$

70. $y = \dfrac{x^3}{x - 2a}$; $y' = \dfrac{2x^2(x - 3a)}{(x - 2a)^2}$

71. $y = \dfrac{x^3}{x^2 - a^2}$; $y' = \dfrac{x^2(x^2 - 3a^2)}{(x^2 - a^2)^2}$

72. $y = \dfrac{x^4}{x^2 - a^2}$; $y' = \dfrac{2x^3(x^2 - 2a^2)}{(x^2 - a^2)^2}$

---

* Aus Gründen der Übersichtlichkeit empfiehlt es sich, in der Zwischenrechnung einen Nenner (N), eine größere Klammer (K) oder eine Wurzel (W) abzukürzen.

73. $y = \dfrac{x^2 - 4\,a\,x}{(x - 2\,a)^2}$; $u' = 2\,(x - 2\,a)$, $v' = 2\,(x - 2\,a)$, also $u' = v' = 2\,K$

$\quad y' = \dfrac{1}{K^4}\,[K^2 \cdot 2\,K - (x^2 - 4\,a\,x) \cdot 2\,K] = \dfrac{8\,a^2}{K^3}$

74. $y = \dfrac{x^3\,(x^2 - 2\,a^2)}{(x^2 - a^2)^2} = \dfrac{x^5 - 2\,a^2\,x^3}{K^2}$

$\quad u' = x^2\,(5\,x^2 - 6\,a^2)$; $v' = 4\,x\,(x^2 - a^2)$

$\quad y' = \dfrac{x^2\,(x^4 - 3\,a^2\,x^2 + 6\,a^4)}{(x^2 - a^2)^3}$

75. $y = \dfrac{(a + x)^3}{x}$; $y' = \dfrac{x \cdot 3\,K^2 - K^3}{x^2} = \dfrac{(a + x)^2\,(2\,x - a)}{x^2}$

76. $y = \dfrac{(a + x)^4}{x}$; $y' = \dfrac{(a + x)^3\,(3\,x - a)}{x^2}$

77. $y = \dfrac{x^2 - a\,x}{x^2 - a\,x + b^2}$; $y' = b^2\,\dfrac{2\,x - a}{N^2}$

78. $y = \sqrt{2\,a\,x}$; $y' = \dfrac{2\,a}{2\,\sqrt{2\,a\,x}} = \sqrt{\dfrac{a}{2\,x}}$

79. $y = \sqrt{\dfrac{a}{2\,x}} = \sqrt{\dfrac{a}{2}} \cdot x^{-1/2}$; $y' = -\dfrac{1}{2}\,\sqrt{\dfrac{a}{2}} \cdot \dfrac{1}{\sqrt{x^3}} = -\sqrt{\dfrac{a}{8\,x^3}}$

80. $y = \sqrt{a^2 + x^2}$; $y' = \dfrac{1}{2\,W} \cdot 2\,x = \dfrac{x}{\sqrt{a^2 + x^2}}$

81. $y = \sqrt{a^2 - x^2}$; $y' = -\dfrac{x}{\sqrt{a^2 - x^2}}$

82. $y = \sqrt{3\,a^2 + 2\,a\,x - x^2}$; $y' = \dfrac{a - x}{W}$

83. $y = \sqrt{r^2 - (x - a)^2}$; $y' = -\dfrac{x - a}{W}$

84. $y = \sqrt{x^2 + (a - x)^2} = \sqrt{2\,x^2 - 2\,a\,x + a^2}$; $y' = \dfrac{2\,x - a}{W}$

85. $y = \sqrt{b^2 + (c - x)^2}$; $y' = -\dfrac{c - x}{W}$

86. $y = x\,\sqrt{2\,a - x}$; $y' = x \cdot \dfrac{-1}{2\,W} + W = \dfrac{4\,a - 3\,x}{2\,W}$

87. $y = \sqrt{x(r-x)^3} = \sqrt{x \cdot K^3}$;

$$y' = \frac{-3\,x\,K^2 + K^3}{2\,W} = \frac{K^2}{2\,W}(r - 4\,x)$$

88. $y = x\sqrt{a^2 - x^2}$; $u' = 1$, $v' = -\dfrac{x}{W}$

$$y' = -\frac{x^2}{W} + W = \frac{-x^2 + W^2}{W} = \frac{a^2 - 2\,x^2}{W}$$

89. $y = (a+x)\sqrt{a^2 - x^2}$;

$$y' = (a+x)\frac{-x}{W} + W = \frac{a^2 - a\,x - 2\,x^2}{W}$$

90. $y = (a+x)\sqrt{3\,a^2 + 2\,a\,x - x^2}$; $y' = (a+x)\dfrac{a-x}{W} + W$

$$= \frac{2}{W}(2\,a^2 + a\,x - x^2)$$

91. $y = x^2\sqrt{a^2 - x^2}$; $y' = \dfrac{x(2\,a^2 - 3\,x^2)}{W}$

92. $y = \dfrac{x}{\sqrt{a^2 + x^2}}$; $u' = 1$, $v' = \dfrac{x}{W}$; $y' = \dfrac{W^2 - x^2}{W^3} = \dfrac{a^2}{W^3}$

93. $y = \dfrac{x}{\sqrt{a^2 - x^2}}$; $y' = \dfrac{a^2}{W^3}$

94. $y = \dfrac{c - x}{\sqrt{b^2 + (c-x)^2}}$; $y' = \dfrac{-W + \dfrac{(c-x)^2}{W}}{W^2} = -\dfrac{b^2}{W^3}$

95. $y = \dfrac{x - a}{\sqrt{r^2 - (x-a)^2}}$; $y' = \dfrac{r^2}{W^3}$

96. $y = \sqrt{\dfrac{x^3}{x - 2\,a}} = \sqrt{z}$

$$\frac{dy}{dz} = \frac{1}{2\sqrt{z}} = \frac{1}{2}\sqrt{\frac{x-2\,a}{x^3}}\ ;\ \frac{dz}{dx} = \frac{2\,x^2(x-3\,a)}{(x-2\,a)^2}$$

$$y' = \sqrt{\frac{K}{x^3}} \cdot \frac{x^2 (x - 3a)}{K^2} = (x - 3a) \sqrt{\frac{x}{K^3}}$$

$$= (x - 3a) \sqrt{\frac{x}{(x - 2a)^3}}$$

97. $y = \sqrt{\dfrac{\dfrac{1}{2} x^2 + 1}{x - 1}} = \sqrt{z}$; $y' = \dfrac{\dfrac{1}{2} x^2 - x - 1}{2 \sqrt{\left(\dfrac{1}{2} x^2 + 1\right)(x - 1)^3}}$

98. $y = \dfrac{(a + x)^2}{\sqrt{x}}$;

$$y' = \frac{1}{x} \left[2 \sqrt{x} \, (a + x) - \frac{(a + x)^2}{2 \sqrt{x}} \right] = \frac{(a + x)(3x - a)}{2 x \sqrt{x}}$$

99. $y = \dfrac{\sqrt{(x^2 + 1)^3}}{x}$; $u' = \dfrac{3}{2} (x^2 + 1)^{1/2} \, 2x = 3x \sqrt{x^2 + 1}$

$$y' = \frac{1}{x^2} (2 x^2 - 1) \sqrt{x^2 + 1}$$

100. $y = \dfrac{\sqrt{x}}{x + 2}$; $y' = \dfrac{2 - x}{2 \, N^2 \sqrt{x}}$

101. $y = \dfrac{4a - 3x}{\sqrt{2a - x}}$; $y' = \dfrac{3x - 8a}{2 \, W^3}$

102. $y = \dfrac{x^2}{\sqrt{x^2 - a^2}}$; $y' = \dfrac{x (x^2 - 2 a^2)}{W^3}$

103. $y = \dfrac{(b + x)^2}{x \sqrt{b^2 - x^2}} = \dfrac{K^2}{x \cdot W}$; $Z' = 2K$; $W' = -\dfrac{x}{W}$;

$$N' = \frac{b^2 - 2 x^2}{W} \; ; \; y' = \frac{b \, K^2}{x^2 \, W^3} (2x - b)$$

104. $y = p \cdot 10^{mx - a}$

$$y' = p \cdot 10^{mx - a} \cdot m \cdot \ln 10 = \ln 10 \cdot m \cdot p \cdot 10^{mx - a}$$

105. $y = r \cdot 10^{b - mx}$; $y' = - \ln 10 \cdot m \cdot r \cdot 10^{b - mx}$

106. $y = \ln \left(x - \dfrac{a}{2x} \right)$;

$$y' = \frac{1}{x - \dfrac{a}{2x}} \left(1 + \frac{a}{2 x^2} \right) = \frac{1}{x} \cdot \frac{2 x^2 + a}{2 x^2 - a}$$

107. $y = \dfrac{1}{2} \sin 2x = \dfrac{1}{2} \sin z, \quad z = 2x$

$y' = \dfrac{1}{2} \cos z \cdot 2 = \cos 2x$

108. $y = \cos x + \dfrac{1}{2} \sin 2x; \quad y' = -\sin x + \cos 2x$

109. $y = \cos 2x; \quad y' = -2 \sin 2x$

110. $y = 2 \cdot \cos \dfrac{x}{2} + \sin x; \quad y' = -\sin \dfrac{x}{2} + \cos x$

111. $y = (a + \sin x) \cos x = a \cdot \cos x + \dfrac{1}{2} \sin 2x$

$y' = -a \cdot \sin x + \cos 2x$

112. $y = \cot \dfrac{x}{2} + \tan \dfrac{a+x}{2}; \quad y' = \dfrac{1}{2}\left[-\dfrac{1}{\sin^2 \dfrac{x}{2}} + \dfrac{1}{\cos^2 \dfrac{a+x}{2}} \right]$

113. $y = \sin 2x - \sin x$

$y' = 2 \cdot \cos 2x - \cos x = 2(2 \cdot \cos^2 x - 1) - \cos x$

$ = 4 \cos^2 x - \cos x - 2$

114. $y = \dfrac{a - b \cdot \cos x}{\sin x}; \quad y' = \dfrac{b - a \cdot \cos x}{\sin^2 x}$

115. $y = \dfrac{b - a \cdot \sin x}{\cos x}; \quad y' = \dfrac{b \cdot \sin x - a}{\cos^2 x}$

116. $y = \sin x \cdot \sin (x + a)$

$y' = \sin x \cdot \cos (x + a) + \sin (x + a) \cdot \cos x = \sin (2x + a)$

117. $y = \sin x \cdot \sin (a - x); \quad y' = \sin (a - 2x)$

118. $y = \sin x \cdot \cos (a + x); \quad y' = \cos (2x + a)$

119. $y = \sin^2 x; \quad y' = 2 \sin x \cdot \cos x = \sin 2x$

120. $y = \cos^2 x; \quad y' = -\sin 2x$

121. $y = 3b \cdot \cos^2 x - 2a \cdot \cos x; \quad y' = 2 \cdot \sin x (a - 3b \cdot \cos x)$

122. $y = 2 \cos^2 x - \sin^2 x$ (oder $3 \cos^2 x - 1$ oder $2 - 3 \sin^2 x$)

$y' = -3 \sin 2x$

123. $y = 4 \cdot \cos x - 3 \cdot \cot x + \dfrac{1}{\sin x}$

$y' = -4 \cdot \sin x + \dfrac{3}{\sin^2 x} - \dfrac{\cos x}{\sin^2 x} = \dfrac{3 - \cos x - 4 \cdot \sin^3 x}{\sin^2 x}$

124. $y = \dfrac{c}{\sin x} - a \cdot \cot x \; ; \; y' = \dfrac{a - c \cdot \cos x}{\sin^2 x}$

125. $y = \dfrac{a}{\cos x} - b \cdot \tan x \; ; \; y' = \dfrac{a \cdot \sin x - b}{\cos^2 x}$

126. $y = \dfrac{a}{\sin x} + \dfrac{b}{\cos x} = \dfrac{a}{i} + \dfrac{b}{o}$

$y' = -\dfrac{ao}{i^2} + \dfrac{bi}{o^2} = \dfrac{bi^3 - ao^3}{i^2 o^2} = \dfrac{ao^3}{i^2 o^2}\left(\dfrac{bi^3}{ao^3} - 1\right)$

$\quad = \dfrac{a \cos x}{\sin^2 x}\left(\dfrac{b}{a}\tan^3 x - 1\right)$

127. $y = \dfrac{q}{\sin^2 x} + \dfrac{p}{\sin^4 x} \; ; \; y' = -\dfrac{2 \cos x}{\sin^5 x}\left(q \sin^2 x + 2p\right)$

128. $y = \sin^2 x \cdot \cos x \; ; \; y' = \sin x \left(2 \cos^2 x - \sin^2 x\right)$

$\qquad\qquad = \sin x \left(3 \cos^2 x - 1\right) \text{ oder } \sin x \left(2 - 3 \sin^2 x\right)$

129. $y = \sin^2 x \left(b \cos x - a\right) \; ;$

$y' = \sin x \left(3 b \cos^2 x - 2 a \cos x - b\right)$

130. $y = \dfrac{a}{\cos^2 x} = a \cos^{-2} x = a \cdot z^{-2} \; ; \; z = \cos x$

$y' = \dfrac{2 a \sin x}{\cos^3 x}$

131. $y = x \cdot \cos x \; ; \; y' = \cos x - x \cdot \sin x$

132. $y = x \cdot \cos^2 x \; ; \; y' = \cos x \left(\cos x - 2x \cdot \sin x\right)$

133. $y = \cos x - x \cdot \sin x \; ; \; y' = -x \cdot \cos x - 2 \sin x$

134. $y = \cos^2 x - x \cdot \sin 2x \; ; \; y' = -2 \left(\sin 2x + x \cdot \cos 2x\right)$

135. $y = x \tan \dfrac{\pi}{x} = x \tan \varphi \; ; \; \varphi = \dfrac{\pi}{x}$

$y' = x \dfrac{1}{\cos^2 \varphi}\left(-\dfrac{\pi}{x^2}\right) + \tan \varphi = \dfrac{\sin \varphi}{\cos \varphi} - \dfrac{\varphi}{\cos^2 \varphi}$

$\quad = \dfrac{\sin \varphi \cdot \cos \varphi - \varphi}{\cos^2 \varphi} = \dfrac{\sin 2\varphi - 2\varphi}{2 \cos^2 \varphi}$

136. $y = \sqrt{4\,m^4 - (p^2 + 2\,n^2\cos x)^2} = \sqrt{4\,m^4 - K^2}$

$$y' = \frac{1}{2\,W}(-2\,K)(-2\,n^2 \cdot \sin x) = 2\,n^2\,\frac{\sin x\,(p^2 + 2\,n^2\cos x)}{W}$$

137. $y = \sin x\,\dfrac{p^2 + 2\,n^2 \cdot \cos x}{\sqrt{4\,m^4 - (p^2 + 2\,n^2 \cdot \cos x)^2}} = \sin x \cdot B = \sin x\,\dfrac{Z}{W}$

$y' = \sin x \cdot B' + B \cdot \cos x$

$B' = \dfrac{W \cdot Z' - Z \cdot W'}{W^2}\,;\quad Z' = -2\,n^2 \cdot \sin x\,;$

$W' = 2\,n^2\,\dfrac{\sin x \cdot Z}{W}$, nach 90; dann ist zunächst

$B' = -\dfrac{2\,n^2\sin x}{W^3}(W^2 + Z^2) = -\dfrac{2\,n^2\sin x}{W^3} \cdot 4\,m^4,\quad$ dann

$y' = -8\,n^2\,m^4\,\dfrac{\sin^2 x}{W^3} + \dfrac{Z}{W}\cos x$

138. $y = \sqrt{9 - \sin^2 x}\,;\quad y' = -\dfrac{\sin x \cdot \cos x}{W} = -\dfrac{\sin 2\,x}{2\,W}$

139. $y = \underbrace{\sin^2 x \cdot \cos x}_{u}\ \underbrace{(3 - \sin^2 x)}_{v}\,;\quad u' = \sin x\,(2 - 3\sin^2 x)$

$\qquad\qquad\qquad\qquad\qquad\qquad v' = -2\sin x \cdot \cos x$

$y' = i^2\,o\,(-2\,i\,o) + (3 - i^2)\,i\,(2 - 3\,i^2),$
$\quad i$ ausklammern, $o^2 = 1 - i^2$ setzen:

$y' = i\,(5\,i^4 - 13\,i^2 + 6)$

140. $y = \underbrace{i^2\,o\,(3 - i^2)}_{u}\ \underbrace{\sqrt{9 - i^2}}_{v}\,;\quad u'$ nach 93, v' nach 92;

$y' = -\dfrac{2\,i}{W}(3\,i^6 - 31\,i^4 + 63\,i^2 - 27)$

141. $y = \arctan\sqrt{\dfrac{1 - \cos x}{1 + \cos x}} = \arctan z\,;\quad z = \sqrt{b}\,;\quad b = \dfrac{1 - \cos x}{1 + \cos x}$

$\dfrac{d\,y}{d\,z} = \dfrac{1}{1 + z^2} = \dfrac{1 + \cos x}{2}$

$\dfrac{d\,z}{d\,b} = \dfrac{1}{2\,\sqrt{b}} = \dfrac{1}{2}\,\sqrt{\dfrac{1 + \cos x}{1 - \cos x}} = \dfrac{1}{2}\,\dfrac{\sin x}{1 - \cos x}$

$$\frac{db}{dx} = \frac{2 \sin x}{(1 + \cos x)^2}$$

$$y' = \frac{1}{2} \frac{\sin^2 x}{1 - \cos^2 x} = \frac{1}{2}.$$

Da y' konstant ist, so stellt die Funktion eine Gerade mit der Steigung $\frac{1}{2}$ dar. Dies ergibt sich auch unmittelbar aus der Formel

$$\sqrt{\frac{1 - \cos x}{1 + \cos x}} = \tan \frac{x}{2}; \quad \text{denn } z = \tan y = \tan \frac{x}{2}, \text{ also}$$

$$y = \frac{x}{2} \quad \text{und} \quad y' = \frac{1}{2}$$

142. $y = \sin^2 \sqrt[3]{a x^4 - b x^2 + c} + \cos^2 \sqrt[3]{a x^4 - b x^2 + c}$

$y = \sin^2 z + \cos^2 z, \ z = \sqrt[3]{u}, \ u = a x^4 - b x^2 + c,$ usw.

$y' = 0$, was man auch unmittelbar findet aus

$y = \sin^2 z + \cos^2 z = 1$

143. $(a x)^{2/3} + (b y)^{2/3} = c^{4/3}$ nach (25) ist

$$\frac{2}{3} a \cdot (a x)^{-1/3} + \frac{2}{3} b \cdot (b y)^{-1/3} \cdot y' = 0$$

$$y' = \left(-\frac{a^2 y}{b^2 x} \right)^{1/3}$$

144. $a (x^3 + y^3) + b (x^2 + y^2) + c (x + y) = 0$

$3 a (x^2 + y^2 y') + 2 b (x + y y') + c (1 + y') = 0$

$$y' = -\frac{3 a x^2 + 2 b x + c}{3 a y^2 + 2 b y + c}$$

145. $A x^2 + 2 B x y + C y^2 + 2 D x + 2 E y + F = 0$

$2 A x + 2 B (x y' + y) + 2 C y y' + 2 D + 2 E y' = 0$

$$y' = -\frac{A x + B y + D}{B x + C y + E}$$

146. $x^2 y + a x y + x y^2 = 0; \quad y' = -\frac{y (y + 2 x + a)}{x (x + 2 y + a)}.$

§13. Fehlerrechnung. Differentiale

Eine sehr nützliche Anwendung findet die Differentialrechnung bei der Bestimmung des möglichen Fehlers, der einem Ergebnis infolge der begrenzten Meßgenauigkeit anhaften kann.

1 Beispiel

Wie genau kann man das Volumen (y) eines Würfels angeben, wenn die Messung der Würfelkante $x = 4{,}35$ cm auf $u = \dfrac{1}{2}$ mm $= 0{,}05$ cm genau erfolgt?

$$\text{Volumen } y = x^3 = 82{,}312\ 875 \text{ cm}^3.$$

Da die Würfelkante sowohl 4,3 als auch 4,4 cm sein kann, so darf das vorstehende Ergebnis keinesfalls Anspruch auf absolute Genauigkeit machen:

$$4{,}3^3 = 79{,}507, \qquad\qquad 4{,}4^3 = 85{,}184 .$$

Wir müssen vielmehr mit einem Fehler von etwa 2,8 cm³ nach beiden Seiten rechnen. Deshalb genügt es, wenn wir das Volumen auf höchstens 2 Dezimalen berechnen*. Man schreibt dann

$$y = 82{,}3 \pm 2{,}8 \text{ cm}^3 .$$

(Der prozentuale Fehler beträgt 3,5%.)

Wir untersuchen das Beispiel in allgemeiner Form: Wie groß ist der Fehler η bei dem Volumen y, wenn bei der Messung der Würfelkante x der Fehler $\pm u$ möglich ist?

$$y = x^3$$
$$\underline{y \pm \eta = (x \pm u)^3}$$
$$\eta = \pm\, 3\,x^2 u + 3\,x\,u^2 \pm u^3$$

Ist u im Verhältnis zu x klein, so darf man die höheren Potenzen von u vernachlässigen**, so daß

$$\eta \approx \pm\, 3\,x^2 u .$$

Für das Beispiel ist $\eta \approx 3 \cdot 4{,}35^2 \cdot 0{,}05 = 2{,}84$ (wie oben).

Der Faktor $3\,x^2$ ist offenbar die Ableitung von $y = x^3$, also ist

$$\eta \approx y' \cdot u .$$

Beweis. Wächst x um $\varDelta x = u$, so wächst y um $\varDelta y = \eta$.

Aus $\qquad \dfrac{\eta}{u} = \dfrac{\varDelta y}{\varDelta x}\ $ ist $\ \eta = \dfrac{\varDelta y}{\varDelta x} \cdot u \approx y' \cdot u .$

---

* Mit Sternmuster (MR 1) und abgekürzter Multiplikation (MR 2).
** In 1 ist $u^2 = 0{,}0025$, $u^3 = 0{,}000\ 125$.

2 Das Differential

Wir untersuchen, ob die vorstehende Fehlerformel allgemein gültig ist.

In Abb. 24 ist eine Funktion $y = f(x)$ und im Punkt $P(x \mid y)$ die Tangente t gezeichnet. Wir betrachten einen Nachbarpunkt $P_1(x + \Delta x \mid y + \Delta y)$. Seine Ordinate $P_1 Q_1$ wird von der Tangente im Punkt T geschnitten.

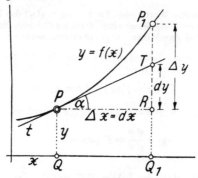

Abb. 24. Das Differential

Während für den beliebigen (von x unabhängigen) Abszissenzuwachs Δx der Funktionswert um $R P_1 = \Delta y$ zunimmt, beträgt der Zuwachs für die in P gezeichnete Tangente nur $R T = dy$; er wird als „Differential" bezeichnet.

Das Differential einer Funktion ist der Zuwachs der Tangente in P und wird mit dy bezeichnet.

(Auch dy ist wie Δy ein Symbol und bedeutet nicht etwa $d \cdot y$.)

Aus dem Dreieck PRT ist

$$\tan \alpha = f'(x) = \frac{dy}{\Delta x} \quad \text{oder}$$

(26) $$dy = f'(x) \cdot \Delta x.$$

Hierin ist $f'(x)$ die Ableitung der Funktion, die für jedes x einen ganz bestimmten Wert hat, während Δx eine beliebige Größe ist, die jeden von Null verschiedenen Wert annehmen kann.

3 Der Differentialquotient

Mit der Einführung des Begriffs „Differential" verfolgen wir die Absicht, ein Kurvenstück in der Nähe eines Punktes durch die Tangente zu ersetzen, also Δy durch dy. Dazu ein Beispiel.

$$y = \frac{1}{2} x^3; \quad P(2 \mid 4); \quad f'(x) = 1,5 x^2 = 6.$$

Wir wählen $\Delta x = 1$; $0,1$; $0,01$.

Δx	1	0,1	0,01
Δy^*	9,5	0,6305	0,0603005
$d y$	6	0,6	0,06

Für kleine Werte von Δx ist $\Delta y \approx d y$; das heißt: In der nächsten Umgebung eines Punktes P kann die Kurve annähernd durch ihre Tangente ersetzt werden.

Benutzt man der Einheitlichkeit wegen für Δx das Zeichen $d x$, so nimmt (26) die Form an:

(26a) $$d y = f'(x) \cdot d x = y' \cdot d x \, .$$

Da $d x = \Delta x \neq 0$, so kann man durch $d x$ dividieren:

(27) $$\frac{d y}{d x} = f'(x) = y' \, .$$

Der Quotient der beiden Differentiale, der „Differentialquotient", ist gleich der Ableitung.

Zu den früher genannten Schreibweisen für die Ableitung (§ 3, 7) tritt nun noch eine neue:

$$\lim_{\Delta x \to 0} \frac{\Delta y}{\Delta x} = \frac{d y}{d x} = f'(x) = y' \, .$$

Aus ihr kann man sofort erkennen, nach welcher Veränderlichen differenziert werden soll.

Die Kettenregel (6) nimmt jetzt die Form an

$$\frac{d y}{d x} = \frac{d y}{d z} \cdot \frac{d z}{d x}$$

bzw. $$\frac{d y}{d x} = \frac{d y}{d z} \cdot \frac{d z}{d t} \cdot \frac{d t}{d x} \text{ (vgl. § 10, 7).}$$

4 Fehlerformeln

(28) $\begin{cases} \text{absoluter Fehler} \quad d y = f'(x) \cdot d x \\[2mm] \text{relativer Fehler} \quad \dfrac{d y}{y} = \dfrac{f'(x)}{f(x)} \cdot d x \end{cases}$

---

* Zur Berechnung von Δy vgl. § 4, 1.1; $d y$ aus (26).

147. Wie genau ist die Fläche eines Kreises, dessen Durchmesser $(2\,x)$ zu 24,7 cm auf $\frac{1}{2}$ mm genau gemessen wurde $\left(\pi = \frac{22}{7}\right)$?

Kreisfläche $y = \pi\,x^2 = 152{,}5225\,\pi = 479{,}25$

$y' = 2\,\pi \cdot x = 77{,}63 \; ; \; d\,x = 0{,}05$

$d\,y = 77{,}63 \cdot 0{,}05 = 3{,}9 \approx 4$.

Das Ergebnis kann also mit einem Fehler von $\pm\,4$ cm^2 behaftet sein, so daß es sinnlos wäre, die Fläche auf 2 oder gar noch mehr Dezimalen „genau" angeben zu wollen.

Kreisfläche $y = 479 \pm 4$ cm^2.

148. Die Fläche eines Rechtecks $(a = 5{,}64$ m, $b = 4{,}32$ m$)$ ist zu berechnen, wenn die Seiten auf 1 cm genau gemessen wurden.

$$F = a \cdot b = 24{,}36 \text{ m}^2$$

$$F + dF = (a + da)\,(b + db) = ab + a \cdot db + b \cdot da + da \cdot db\,.$$

Da da und db im Verhältnis zu a und b sehr klein sind, darf der letzte Summand vernachlässigt werden:

absoluter Fehler $\quad d\,F \approx a \cdot d\,b + b \cdot d\,a$

relativer Fehler $\quad \dfrac{d\,F}{F} \approx \dfrac{a \cdot d\,b + b \cdot d\,a}{a \cdot b}$

(29) $$\frac{d\,F}{F} \approx \frac{d\,a}{a} + \frac{d\,b}{b}$$

Der relative Fehler eines Produktes ist annähernd gleich der Summe der relativen Fehler der Faktoren.

$$\frac{d\,F}{F} = \frac{1}{564} + \frac{1}{432} = 0{,}00177 + 0{,}00231 = 0{,}00408$$

das sind $0{,}4^0/_0$; $0{,}4^0/_0$ von 24,36 sind 0,1:

$F = 24{,}4 \pm 0{,}1$ m^2

149. Die Kanten eines Quaders $(a = 42,\; b = 24,\; c = 17$ cm$)$ wurden auf 1 mm genau gemessen. Zeige, daß die Regel (29) auch für ein Produkt aus 3 Faktoren gilt.

(29 a) $$\frac{d\,V}{V} \approx \frac{d\,a}{a} + \frac{d\,b}{b} + \frac{d\,c}{c}$$

$$V = 17\,136 \text{ cm}^3, \quad \frac{dV}{V} = 0,00238 + 0,00417 + 0,00588 = 0,0124 \; ;$$

1,24% von 17 136 sind 214.

$$V = 17136 \pm 214 \text{ cm}^3$$

150. Um die Dichte (ϱ) des Zinks zu bestimmen, wurde das Volumen $V = 15,6$ cm³ eines Zinkstückes gemessen und das Gewicht zu $G = 112,2$ g bestimmt. Die Volumenbestimmung im Meßzylinder war auf 0,1 cm³, die Wägung auf der Hornschalenwaage auf 0,2 g genau.

$$\varrho = \frac{G}{V} = 7,192 \text{ g/cm}^3$$

$$\varrho + d\varrho = \frac{G + dG}{V + dV}$$

$$d\varrho = \frac{G + dG}{V + dV} - \frac{G}{V} = \frac{V \cdot dG - G \cdot dV}{(V + dV)\,V} \approx \frac{V \cdot dG - G \cdot dV}{V^2}$$

$$= \frac{G}{V}\left(\frac{dG}{G} - \frac{dV}{V}\right) = \varrho\left(\frac{dG}{G} - \frac{dV}{V}\right)$$

(30)
$$\frac{d\varrho}{\varrho} \approx \frac{dG}{G} - \frac{dV}{V}$$

Der relative Fehler eines Quotienten ist annähernd gleich der Differenz der relativen Fehler von Zähler und Nenner.

$$\frac{dG}{G} = \frac{0,2}{112,2} = 0,002; \quad \frac{dV}{V} = \frac{0,1}{15,6} = 0,006$$

Wurde G zu groß ($+ dG$) und V zu klein ($- dV$) gemessen (oder umgekehrt), so ist der größte mögliche Fehler gleich der Summe der absoluten Beträge der relativen Fehler:

$$\frac{d\varrho}{\varrho} = 0,002 + 0,006 = 0,008 \quad (0,8\,\%)$$

$$d\varrho = 0,058$$

$$\varrho = 7,19 \pm 0,06 \text{ g/cm}^3$$

151. Die Gültigkeit der nachstehenden Formeln (31) ist für

$$y = x^n \quad \text{bzw.} \quad y = \sqrt[n]{x} \quad \text{zu beweisen.}$$

(31) $$\frac{dy}{y} \approx n \cdot \frac{dx}{x} \quad \text{bzw.} \quad \frac{dy}{y} \approx \frac{1}{n} \cdot \frac{dx}{x}$$

(1) $dy = (x + dx)^n - x^n = n x^{n-1} dx + \dfrac{n(n-1)}{2!} x^{n-2}(dx)^2 + \ldots$*

$$\frac{dy}{y} \approx \frac{n \cdot x^{n-1} dx}{x^n} = n \cdot \frac{dx}{x} \quad **$$

(2) $x = y^n$, also $\dfrac{dx}{x} \approx n \cdot \dfrac{dy}{y}$, mithin $\dfrac{dy}{y} \approx \dfrac{1}{n} \cdot \dfrac{dx}{x}$

152. Ein würfelförmiger Steinblock hat eine Länge von $a = 1{,}86$ m, bei einer Meßgenauigkeit von $da = 2$ cm.

$$V = 6{,}445 \text{ m}^3; \quad \frac{dV}{V} = 3 \cdot \frac{2}{186} = 0{,}0322$$

$3{,}22^0/_0$ von V, also $dV = 0{,}208$

$$V = 6{,}4 \pm 0{,}2 \text{ m}^3$$

153. Man berechne $\sqrt[3]{37}$.

Es ist $37 \cdot 3^3 = 999 \approx 10^3$, also $\sqrt[3]{37} < \dfrac{10}{3} = 3{,}\bar{3} \cdots$

$dx = 1$ (nämlich $1000 - 999$), $x = 1000$

$$\frac{dy}{y} \approx \frac{1}{3} \cdot \frac{1}{1000} = \frac{1}{3000}$$

$$dy \approx \frac{1}{3000} \cdot \frac{10}{3} = \frac{1}{900} = 0{,}00\bar{1} \cdots$$

$$y = 3{,}333\,333 - 0{,}001\,111 = \mathbf{3{,}332\,222},$$

das ist ein auf 6 Dezimalen genauer Wert***.

---

* Mit dem Binomischen Satz.
** Für $n = 3$ entsteht (31) auch aus (29a), wenn $a = b = c$ ist.
*** Mit dem Trichter (MR 1) und abgekürzter Multiplikation (MR 2) wird $y^3 = 37{,}000\,005$.

§ 14. Mittelwertsatz. Höhere Ableitungen

1 Der Mittelwertsatz (Abb. 25)

Wir zeichnen zu einer monotonen Funktion
$y = f(x)$ | $y = \dfrac{1}{4}\, x^2 + 1 \,(x > 0)$

die Ableitungsfunktion $y' = f'(x)$; | $y' = \dfrac{1}{2}\, x$

durch die Punkte $P\,(x|y)$ und $P_1(x_1|y_1)$
ziehen wir die Sekante $PP_1 = s$ | $P\,(2|2);\; P_1\left(3\,|\,3\,\dfrac{1}{4}\right)$

und zeichnen auch ihre Ableitung s'
(s' ist eine Parallele zur x-Achse). | $s' = 1\,\dfrac{1}{4}$

s' schneidet $f'(x)$ in Q mit der Abszisse ξ; | $\xi = 2,5\,^{*}$
die zugehörige Ordinate von P_0 sei $\eta = f(\xi)$. | $\eta = 2,56$
Die in $P_0\,(\xi\,|\,\eta)$ gezeichnete Tangente t | $P_0\,(2,5\,|\,2,56)$
läuft der Sehne s parallel, da ja s' und
y' für P_0 den gleichen Wert $f'(\xi)$ haben.

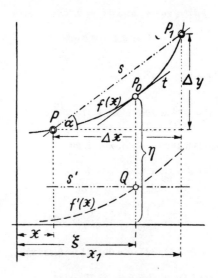

Abb. 25. Der Mittelwertsatz

---

* Aus $s' = 1\,\dfrac{1}{4}$ und $y' = \dfrac{1}{2}\, x$ wird für den Schnittpunkt $x = \xi = 2,5$.

Aus $\tan \alpha = \dfrac{\Delta y}{\Delta x} = \dfrac{f(x_1) - f(x)}{x_1 - x} = f'(\xi)$ erhalten wir den

(32) Mittelwertsatz:

a) $\quad \Delta y = f'(\xi) \cdot \Delta x$

b) $\quad f(x_1) = f(x) + (x_1 - x) f'(\xi)$, wobei $x < \xi < x_1$

c) $f(x+h) = f(x) + h \cdot f'(\xi)$, wobei $x < \xi < x + h$.

Er gestattet, von einer Funktion $y = f(x)$ bei bekanntem $x = c$ und gegebener Abszissendifferenz $\Delta x = h$ den Ordinatenzuwachs abzuschätzen. Da $c < \xi < c + \Delta x$, so kann bei relativ kleinem Δx das $f'(\xi)$ durch $f'(c)$ ersetzt werden:

$$\Delta y \approx f'(c) \cdot \Delta x,$$

ein Ergebnis, durch das die in § 13 abgeleitete Fehlerformel (28) ihre exakte Begründung erfährt.

2 Die höheren Ableitungen

Wenn man die Ableitung der Funktion

$$y = x^4 - 3 x^3 + 5 x^2 + 4 x - 2$$

bildet, also $\quad y' = 4 x^3 - 9 x^2 + 10 x + 4$,
so ist ja y' wieder eine Funktion von x*. Differenziert man sie, so heißt ihre Ableitung die **zweite Ableitung** der gegebenen Funktion; sie wird mit y'' (lies: y 2 Strich) oder $f''(x)$ (lies: f 2 Strich von x) bezeichnet:

$$y'' = 12 x^2 - 18 x + 10.$$

Die höheren Ableitungen sind:

$$y''' = 24 x - 18$$

$$y^{(4)} = 24$$

$$y^{(5)} = 0$$

Von der 4. Ableitung an macht man keine Striche mehr, sondern setzt die „Ordnung" der Ableitung hochgestellt in Klammern: $y^{(4)}$ (lies: y 4 Strich), zur Unterscheidung von der Potenz y^4.

---

* Bei der linearen Funktion $y = a x + b$ ist $y' = a$ (konstant).

Bei der ganzen rationalen Funktion n^{ten} Grades ist die n^{te} Ableitung konstant, die $(n + 1)^{te}$ Ableitung „verschwindet", d.h. sie ist gleich Null.

$$y = a\,x^n + b\,x^{n-1} + c\,x^{n-2} + \cdots + k$$

$$y' = a\,nx^{n-1} + b(n - 1)x^{n-2} + c(n - 2)x^{n-3} + \cdots$$

$$y'' = a\,n(n - 1)x^{n-2} + b\,(n - 1)\,(n - 2)x^{n-3} + \cdots$$

$$y''' = a\,n(n - 1)\,(n - 2)x^{n-3} + \cdots$$

$$\vdots$$

$$y^{(n)} = a\,n(n - 1)\,(n - 2)\,(n - 3) \cdots 2 \cdot 1 = a \cdot n!$$

$$y^{(n+1)} = 0$$

§ 15. Der Krümmungskreis einer Kurve

1 Zweipunktige Berührung zweier Kurven

Zwei Kurven $y = f(x)$ und $y = g(x)$ mögen sich in zwei benachbarten Punkten $P_1\,(x_1 \mid y_1)$ und $P_2\,(x_2 \mid y_2)$ schneiden (Abb. 26). Wir zeichnen die beiden Ableitungskurven $f'(x)$ und

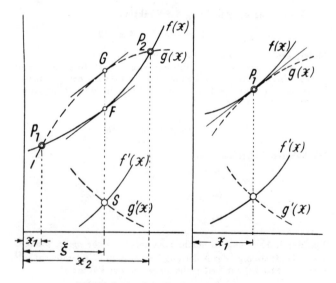

Abb. 26. Zweipunktige Berührung zweier Kurven

$g'(x)$ und stellen fest, daß sie einen Schnittpunkt S haben, dessen Abszisse ξ zwischen x_1 und x_2 liegt. Da in S die Ableitungen beider Kurven gleich sind:

$$f'(\xi) = g'(\xi),$$

so laufen die in F und G gezogenen Tangenten parallel.

Dieses aus der Anschauung gewonnene Ergebnis liefert auch der Mittelwertsatz.

Es sei $U(x) = f(x) - g(x)$, also $U'(x) = f'(x) - g'(x)$. Für die Schnittpunkte P_1 und P_2 ist die Differenz U gleich Null:

$$U(x_1) = f(x_1) - g(x_1) = 0,$$

$$U(x_2) = f(x_2) - g(x_2) = 0.$$

Nach dem Mittelwertsatz ist

$$U(x_2) = U(x_1) + (x_2 - x_1)\, U'(\xi)$$

oder $\qquad\qquad 0 = 0 + (x_2 - x_1)\, U'(\xi)$

und da $\qquad x_2 - x_1 \neq 0$:

$$U'(\xi) = 0$$

mithin $\qquad f'(\xi) = g'(\xi).$

Strebt nun $x_2 \longrightarrow x_1$, so wird $f(x_1) = g(x_1)$: beide Kurven berühren sich in P_1; wegen $x_1 < \xi < x_2$ strebt auch $\xi \longrightarrow x_1$, so daß

$$f'(x_1) = g'(x_1):$$

beide Kurven haben in P_1 dieselbe Tangente.

Schneiden sich zwei Kurven in zwei zusammenfallenden Punkten, so berühren sie sich „zweipunktig" in einem Punkt P_1 $(x_1 \mid y_1)$, und es gilt

$$f(x_1) = g(x_1) \quad \text{und} \quad f'(x_1) = g'(x_1).$$

2 Dreipunktige Berührung

Die beiden Kurven $f(x)$ und $g(x)$ schneiden sich in drei benachbarten Punkten P_1, P_2 und P_3. Dann schneiden sich die Ableitungskurven $f'(x)$ und $g'(x)$ in zwei Punkten S_1 und S_2 mit den Abszissen ξ_1 und ξ_2, wobei $x_1 < \xi_1 < x_2$ und $x_2 < \xi_2 < x_3$ (Abb. 27).

Für die Ableitungskurven gibt es dann nach 1 einen Punkt S_0 mit der Abszisse ξ $(\xi_1 < \xi < \xi_2)$, für den die Ableitungen von $f'(x)$ und $g'(x)$, also die zweiten Ableitungen $f''(x)$ und $g''(x)$ gleich sind:

$$f''(\xi) = g''(\xi).$$

(Dieses Ergebnis kann auch wieder aus dem Mittelwertsatz gewonnen werden.)

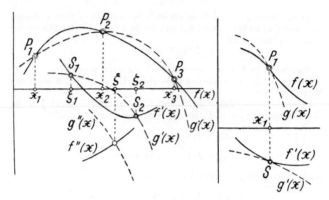

Abb. 27. Dreipunktige Berührung zweier Kurven

Streben x_3 und x_2 gegen x_1, so streben auch ξ_1 und ξ_2, ebenso ξ gegen x_1, und wir erhalten den Satz:

> **Schneiden sich zwei Kurven in drei zusammenfallenden Punkten, so berühren sie sich „dreipunktig" in einem Punkt $P_1 (x_1 \mid y_1)$, und es gilt**
>
> $$f(x_1) = g(x_1); \quad f'(x_1) = g'(x_1); \quad f''(x_1) = g''(x_1).$$

3 Die Näherungsparabeln einer Kurve

3.1 Es liege eine Kurve $y = f(x)$ vor, die in einem Punkt mit der Abszisse $x = 0$ eine **Parabel dreipunktig** berührt.

$$\text{Kurve } f(x) = a_0 + a_1 x + a_2 x^2 \text{ (Parabel)}$$

$$f'(x) = \qquad a_1 + 2\,a_2 x$$

$$f''(x) = \qquad\qquad 2\,a_2$$

Für $x = 0$ ist $f(0) = a_0$; $f'(0) = a_1$; $f''(0) = 2\,a_2$ oder $\dfrac{f''(0)}{2} = a_2$.

Setzen wir diese Werte von a_0, a_1 und a_2 in die Parabelgleichung ein, so entsteht die Gleichung der

MacLaurinschen Näherungsparabel

$$y = f(0) + f'(0) \cdot x + \frac{f''(0)}{2}\,x^2,$$

die die Kurve $y = f(x)$ im Punkt $0 \mid f(0)$ dreipunktig berührt.

3.2 Die Kurve $y = f(x)$ möge in einem Punkt mit der Abszisse ξ eine Parabel dreipunktig berühren.

$$f(x) = a_0 + a_1(x - \xi) + a_2(x - \xi)^2$$

$$f'(x) = \qquad\qquad a_1 + 2\,a_2\,(x - \xi)$$

$$f''(x) = \qquad\qquad\qquad 2\,a_2$$

Für $x = \xi$ ist $f(\xi) = a_0$; $f'(\xi) = a_1$; $f''(\xi) = 2\,a_2$ oder $\dfrac{f''(\xi)}{2} = a_2$.
Wir setzen diese Werte in die Parabelgleichung ein und erhalten die Gleichung der

Taylorschen Näherungsparabel

$$y = f(\xi) + f'(\xi)\,(x - \xi) + \frac{f''(\xi)}{2}\,(x - \xi)^2,$$

die die Kurve $y = f(x)$ im Punkt $\xi \mid f(\xi)$ dreipunktig berührt.

154. Gesucht ist die Näherungsparabel für $y = \cos x$ im Punkt $0 \mid 1$.

$$f(x) = \cos x \qquad f'(x) = -\sin x \qquad f''(x) = -\cos x$$

$$f(0) = 1 \qquad\quad f'(0) = 0 \qquad\qquad f''(0) = -1$$

$$y = 1 + 0 \cdot x - \frac{1}{2}\,x^2$$

$$y = 1 - \frac{1}{2}\,x^2 \quad \text{(Abb. 28)}$$

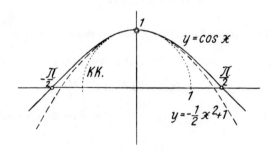

Abb. 28. Näherungsparabel (und Krümmungskreis) der Cosinuskurve

$\pm\,x$	0	0,3	0,6	1	$\sqrt{2}$	$\dfrac{\pi}{2}$
y	1	0,955	0,835	0,55	0,16	0
y_P	1	0,955	0,820	0,5	0	$-0,23$

155. Wie heißt die Näherungsparabel für $y = e^x$ im Punkt $0 \mid 1$?
$f(x) = f'(x) = f''(x) = e^x;\quad f(0) = f'(0) = f''(0) = 1$

$$y = 1 + x + \frac{1}{2}\,x^2 \text{ (Abb. 29)}$$

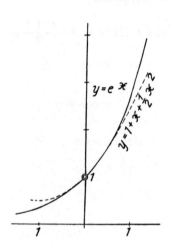

Abb. 29. Näherungsparabel der e^x-Kurve

Beachte, daß die Parabel die Exponentialkurve durchsetzt!

156. $\qquad y = \sqrt{7 + 6x - x^2}$ im Punkt $3 \mid 4$.

Man findet $f(3) = 4$, $f'(3) = 0$, $f''(3) = -\dfrac{1}{4}$

Parabel $\overset{.}{y} = 4 - \dfrac{1}{8}(x-3)^2 = -\dfrac{1}{8}x^2 + \dfrac{3}{4}x - 2\dfrac{7}{8}$ (Zeichnung!)

157. $\qquad y = \dfrac{3}{2 + x}$ im Punkt $1 \mid 1$.

Es ist $f(1) = 1$, $f'(1) = -\dfrac{1}{3}$, $f''(1) = \dfrac{2}{9}$

Parabel $y = \dfrac{1}{9}(x^2 - 5x + 13)$

x	0	0,5	0,8	**1**	1,2	1,5	2
y	1,5	1,2	1,07	**1**	0,94	0,86	0,75
y_P	1,44	1,19	1,07	**1**	0,94	0,86	0,78

4 Der Krümmungskreis

Besondere Bedeutung für eine Kurve hat derjenige K r e i s, der sie in einem Punkt dreipunktig berührt. Er heißt der Krüm-mungskreis der Kurve. Seine Mittelpunktskoordinaten seien $M(\xi \mid \eta)$, sein Radius ϱ. Aus der Gleichung des Kreises

$$(x - \xi)^2 + (y - \eta)^2 = \varrho^2$$

wird

$$y = \eta + \sqrt{\varrho^2 - (x - \xi)^2} = \eta + W \qquad (1)$$

$$y' = -\frac{x - \xi}{\sqrt{\varrho^2 - (x - \xi)^2}} = -\frac{x - \xi}{W} \qquad (2)$$

$$y'' = -\frac{\varrho^2}{\sqrt{[\varrho^2 - (x - \xi)^2]^3}} = -\frac{\varrho^2}{W^3} \qquad (3)$$

Die Bedingung für die dreipunktige Berührung ist die Übereinstimmung von y, y' und y'' für Kurve und Krümmungskreis in dem Berührungspunkt P. Aus den drei Gleichungen können wir ξ, η und ϱ berechnen.

$$y'^2 = \frac{(x - \xi)^2}{W^2}; \quad 1 + y'^2 = \frac{W^2 + (x - \xi)^2}{W^2} = \frac{\varrho^2}{W^2}, \quad \text{mit (1)} \qquad (4)$$

(4):(3)

$$\frac{1 + y'^2}{y''} = -W = \eta - y \qquad (5)$$

$$\eta = y + \frac{1 + y'^2}{y''}$$

Aus (2) mit (5) $\qquad x - \xi = -W \cdot y' = \dfrac{1 + y'^2}{y''} y'$

$$\xi = x - y' \cdot \frac{1 + y'^2}{y''}$$

Aus (4) mit (5) $\varrho = W \cdot \sqrt{1 + y'^2} = (-) \dfrac{\sqrt{(1 + y'^2)^3}}{y''}$

(33) $\xi = x - y' \dfrac{1 + y'^2}{y''}; \quad \eta = y + \dfrac{1 + y'^2}{y''}; \quad \varrho = \dfrac{(1 + y'^2)^{3/2}}{y''}$

$$\text{(mit } y'' \neq 0)$$

Diese Formeln gestatten, den Krümmungsradius und die Koordinaten des Mittelpunktes des Krümmungskreises aus der ersten und zweiten Ableitung der Funktion für irgendeinen Punkt der Kurve zu berechnen.

Da y'' positiv oder negativ sein kann und für $(1 + y'^2)^{3/2}$ $= \sqrt{(1 + y'^2)^3}$ beide Vorzeichen gelten, so ist das Vorzeichen der Wurzel so zu wählen, daß ϱ positiv wird.

Die Kenntnis des Krümmungskreises hat für das exakte Zeichnen von Kurven, vor allem an der Stelle ihrer stärksten Krümmung, große Bedeutung. Dabei wird als Maß der Krümmung der Kehrwert $\dfrac{1}{\varrho}$ des Krümmungsradius angegeben. (Je größer die Krümmung der Kurve, desto kleiner ist ϱ an der betreffenden Stelle.)

158. Parabel. Wie groß ist für die Parabel $y^2 = 2\,p\,x$ der Krümmungsradius im Parabelscheitel $0\,|\,0$?

$$y^2 = 2\,p\,x; \quad 2\,y \cdot y' = 2\,p, \quad \text{daraus} \quad y' = \frac{p}{y} = p \cdot y^{-1}$$

$$1 + y'^2 = \frac{y^2 + p^2}{y^2} = \frac{2\,p\,x + p^2}{2\,p\,x} = \frac{2\,x + p}{2\,x}$$

$$y'' = -\frac{p}{y^2} y' = -\frac{p^2}{y^3} = -\frac{p^2}{2\,p\,x \cdot y} = -\frac{p}{2\,xy}$$

$$\frac{1 + y'^2}{y''} = -\frac{2\,x + p}{p} y = -\left(\frac{2\,x}{p} + 1\right) y$$

$$\xi = x - \frac{p}{y} \frac{2\,x + p}{p} y = x + 2\,x + p = 3\,x + p$$

$$\eta = y - \left(\frac{2\,x}{p} - 1\right) y = -\frac{2\,x}{p} y = -\frac{2\,p\,x}{p^2} y = -\frac{y^3}{p^2}$$

$$\varrho = \left[\frac{y^2 + p^2}{y^2}\right]^{3/2} : \frac{p^2}{y^3} = \frac{(y^2 + p^2)^{3/2}}{p^2}$$

Für den Scheitel ($x = 0$, $y = 0$) wird

$$\xi = p\,; \quad \eta = 0\,; \quad \varrho = p\,.$$

159. Es ist zu zeigen, daß ein **Parabolspiegel** alle achsenparallelen Strahlen im Brennpunkt $F\,(\frac{1}{2}\,p;\;0)$ vereinigt (Abb. 30).

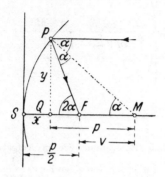

Abb. 30. Reflexion am Parabolspiegel

Das Einfallslot ist PM. Wegen $y' = \dfrac{p}{y}$ ist $\tan\alpha = (-)\dfrac{1}{y'} = \dfrac{y}{p}$, also $QM = p$ und $SM = x + p$

Aus $\tan\alpha = \dfrac{y}{p}$ und $\tan 2\,\alpha = \dfrac{y}{p - v}$ erhält man mit der bekannten Formel

$$y : (p - v) = \frac{2\,y}{p} : \left(1 - \frac{y^2}{p^2}\right) = \frac{2\,p\,y}{p^2 - y^2} = \frac{2\,y}{p - 2\,x}$$

daraus $p - 2\,x = 2\,(p - v)$, also $FM = v = x + \dfrac{1}{2}\,p$, mithin

$$SF = \frac{1}{2}\,p:$$

Alle Parallelstrahlen werden (unabhängig von α) in den Brennpunkt F reflektiert.

Da der Scheitelkrümmungsradius $\varrho = p$ ist, so liegt der Brennpunkt in der Mitte von SM.

160. Wie werden achsenparallele Strahlen von einem **Kugelspiegel** reflektiert? (Abb. 31)

Das Einfallslot PM ist gleich dem Radius ϱ.

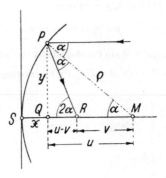

Abb. 31. Reflexion am Kugelspiegel

Eine entsprechende Berechnung wie in Aufgabe 159 ergibt:

$$\varrho^2 = 2\,u\,v;\ \text{mit}\ u = \varrho \cdot \cos\alpha\ \text{wird}\ v = \frac{1}{\cos\alpha} \cdot \frac{\varrho}{2} > \frac{\varrho}{2}$$

Für $\alpha \to 0$ strebt $v \to \frac{\varrho}{2}$ (vgl. Aufg. 161)

Da die Abstände MR von α abhängig sind, werden die Parallelstrahlen n i c h t in einem Punkt vereinigt.

161. Man zeichne bei einem Kugelspiegel ($\varrho = 2$ dm) zu den Parallelstrahlen für verschiedene Einfallswinkel α die reflektierten Strahlen (Abb. 32).

α	60°	50°	40°	30°	20°	10°	$\to 0°$
v	2	1,56	1,31	1,16	1,06	1,01$_5$	$\to 1$ dm

Die reflektierten Strahlen hüllen eine als „**Katakaustik**" bezeichnete Kurve ein, die in F eine Spitze hat, wobei $SF = \frac{1}{2}\varrho$ ist.

Werden die Randstrahlen durch eine Blende von $y = \frac{1}{2}$ dm bzw. $\frac{1}{4}$ dm Radius abgeblendet, so entsteht ein „Brennfleck" von 3,3 mm bzw. 0,8 mm Breite.

y (dm)	α	v (dm)	$v - \frac{1}{2}\varrho$
0,5	14° 30′	1,033	3,3 mm
0,25	7° 10′	1,008	0,8 mm

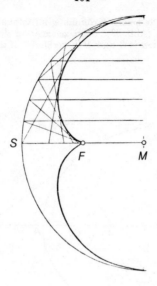

Abb. 32. Katakaustik bei einem Kugelspiegel

162. Ellipse. Berechne die Krümmungsradien für die Scheitel

$a|0$ und $0|b$ der Ellipse $\dfrac{x^2}{a^2} + \dfrac{y^2}{b^2} = 1$.

$$\frac{2\,x}{a^2} + \frac{2\,y}{b^2}\,y' = 0\,,\quad \text{daraus}\quad y' = -\frac{b^2\,x}{a^2\,y}\,;\quad 1 + y'^2 = \frac{a^4 y^2 + b^4 x^2}{a^4 y^2}$$

$$y'' = -\frac{b^2}{a^2}\,\frac{y - x\cdot y'}{y^2} = -\frac{b^2}{a^2}\,\frac{a^2 y^2 + b^2 x^2}{a^2 y^3} = -\frac{b^4}{a^2 y^3}\ {}^{*}$$

$$\varrho = \left[\frac{a^4 y^2 + b^4 x^2}{a^4 y^2}\right]^{3/2} : \frac{b^4}{a^2\,y^3} = \frac{(a^4 y^2 + b^4 x^2)^{3/2}}{a^4 b^4}$$

Für $a|0$ wird $\varrho_a = \dfrac{b^2}{a}$, für $0|b$ wird $\varrho_b = \dfrac{a^2}{b}$.

---

* wegen $b^2 x^2 + a^2 y^2 = a^2 b^2$ (Ellipsengleichung)

Anmerkung. Die beiden Krümmungsmittelpunkte lassen sich leicht konstruieren (Abb. 33). Man zeichnet in den Scheiteln A und B die Tangenten AC und BC, verbindet A mit B und fällt

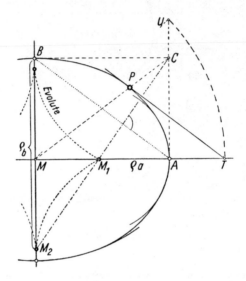

Abb. 33. Konstruktion der Krümmungsmittelpunkte einer Ellipse
(nebst Evolute)

von C das Lot auf AB, das die x-Achse in M_1 und die y-Achse in M_2 schneidet. Da die Dreiecke CAM, CBM_2 und M_1AC ähnlich sind, so gilt

$$\varrho_a : b = b : a \quad \text{und} \quad \varrho_b : a = a : b,$$

daraus $$\varrho_a = \frac{b^2}{a} \quad \text{und} \quad \varrho_b = \frac{a^2}{b} \quad \text{(wie oben)}.$$

Hiernach sind M_1 und M_2 die Mittelpunkte der beiden Scheitelkrümmungskreise. Zeichnet man noch die beiden zu den Achsen spiegelbildlichen Kreise, so kann man die vier Kreisbogen leicht zu einer Ellipse ergänzen.

Eine weitere Hilfe bietet die zu AB parallele Tangente im Punkt P: Errichtet man in A das Lot $AU = a$, so ist $MU = a\sqrt{2}$. Der Kreisbogen um M mit $a\sqrt{2}$

ergibt den Punkt T auf der x-Achse. Zieht man nun durch T die Parallele zu AB und bringt sie mit MC zum Schnitt (P), so ist PT die Ellipsentangente im Punkt P.

Beweis.

Gleichung von TP: $\qquad y = -\dfrac{b}{a}(x - a\sqrt{2})$,

Gleichung von MC: $\qquad y = \dfrac{b}{a}x$,

hieraus die Koordinaten von P: $x_1 = \dfrac{a}{\sqrt{2}}$, $y_1 = \dfrac{b}{\sqrt{2}}$, die sowohl die Gleichung der Ellipse als auch die der Tangente erfüllen.

163. Hyperbel $\qquad \dfrac{x^2}{a^2} - \dfrac{y^2}{b^2} = 1$.

Entsprechend wie bei der Ellipse erhält man:

$$y' = \frac{b^2 x}{a^2 y},\ y'' = -\frac{b^4}{a^2 y^3},\ \text{und schließlich für den Scheitel } a\,|\,0:$$

$$\varrho_s = \frac{b^2}{a}.$$

(Für die gleichseitige Hyperbel ist $\varrho_s = a$.)

Konstruktion (Abb. 34): Da $\varrho : b = b : a$, so macht man $MC = b$; dann ist $CD = ME = \varrho = AM_1$.

Hilfstangente. Für einen Punkt $P(a\sqrt{2}\,|\,b)$ lautet die Tangentengleichung

$$b\sqrt{2}\cdot x - a\cdot y = a\cdot b;$$

für $x = 0$ wird $\qquad y = -b$.

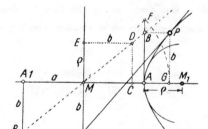

Abb. 34. Konstruktion von Krümmungsmittelpunkt und Hilfstangente bei einer Hyperbel

Zeichne $AF = a$, dann ist $MF = MG = a\sqrt{2} = x_1$;
zeichne $BP \parallel MG$, dann ist $GP = b = y_1$;
zeichne $B_1 H \parallel A_1 M$, dann ist $MH = b$
und PH ist die Tangente in P.

164. Hyperbel. Berechne ϱ für die Hyperbel $x \cdot y = k^2$ im Punkt $x = y = k$.

$$x \cdot y' + y = 0 \, ; \quad y' = -\frac{y}{x} \, ; \quad 1 + y'^2 = \frac{x^2 + y^2}{x^2} \, ;$$

$$y'' = -\frac{x \cdot y' - y}{x^2} = \frac{2y}{x^2}$$

$$\varrho = \left[\frac{x^2 + y^2}{x^2} \right]^{3/2} : \frac{2y}{x^2} = \frac{(x^2 + y^2)^{3/2}}{2xy} \, , \quad \text{und für } x = y = k:$$

$$\varrho = k \sqrt{2} \, ; \quad \text{ferner ist} \quad \xi = \eta = 2k.$$

Für $x \cdot y = 9$ heißt die Gleichung des Krümmungskreises im Punkt 3 | 3:

$$(x - 6)^2 + (y - 6)^2 = 18 \quad \text{oder} \quad y = 6 - \sqrt{18 - (x - 6)^2}$$

Selbst für $x = 2$ wird $y_K = 4{,}6$, dagegen $y_H = 4{,}5$.

165. Sinuskurve. $\quad \varrho$ im Maximum $\frac{\pi}{2} \Big| 1$.

$$y = \sin x, \ y' = \cos x, \ y'' = -\sin x.$$

Für $x = \frac{\pi}{2}$ ist $y' = 0$, $y'' = -1$, daraus $\varrho = 1$.

Da die Steigung der Sinuskurve im Punkt 0 | 0 gleich 1 und ferner $\sin 30° = \sin \frac{\pi}{6} = \frac{1}{2}$ ist, so läßt sich die Sinuskurve mit Hilfe des Krümmungskreises leicht zeichnen (x im Bogenmaß!)

x	70°	60°	50°
sin x	0,940	0,866	0,766
Krkr.	0,937	0,852	0,716

5 Die Evolute

Unter der Evolute einer Kurve versteht man den Ort ihrer Krümmungsmittelpunkte.

166. Die Evolute der Parabel.

Für die Parabel $y^2 = 2px$ sind die Koordinaten des Mittelpunktes des Krümmungskreises (siehe Aufgabe 158)

$$(1) \quad \xi = 3x + p \qquad (2) \quad \eta = -\frac{y^3}{p^2}$$

Um die Ortskurve $\eta = f(\xi)$ des Mittelpunktes zu bekommen, müssen die Koordinaten $x \mid y$ auf Grund der Parabelgleichung eliminiert werden:

Aus (1): $x = \dfrac{\xi - p}{3}$ aus (2): $y^3 = - p^2 \eta$

also $y^2 = 2p\,\dfrac{\xi - p}{3}$

$$y^6 = \frac{8}{27}\,p^3\,(\xi - p)^3 \qquad\qquad y^6 = p^4\,\eta^2$$

daraus $\qquad \dfrac{8}{27}\,p^3\,(\xi - p)^3 = p^4\,\eta^2$

$$\eta^2 = \frac{8\,(\xi - p)^3}{27\,p}$$

Die Evolute der Parabel ist eine zur ξ-Achse symmetrische Kurve mit einer „Spitze" (Abb. 35). Legt man die Spitze in den

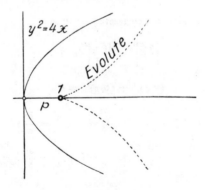

Abb. 35. Parabel mit Evolute

Nullpunkt eines $x \mid y$-Systems ($x = \xi - p$, $y = \eta$), so lautet die Gleichung

$$y^2 = \frac{8}{27\,p}\,x^3 = c^2\,x^3 \quad \text{oder} \quad y = c \cdot x^{3/2}$$

Diese Kurve heißt die Neilsche Parabel (vgl. auch Aufg. 27).

167. Die Evolute der Ellipse (vgl. Abb. 33)

(1) Ellipse: $b^2 x^2 + a^2 y^2 = a^2 b^2$ oder $b^2 x^2 = a^2 (b^2 - y^2)$

$$\text{oder } a^2 y^2 = b^2 (a^2 - x^2)$$

(2) $y' = -\dfrac{b^2 x}{a^2 y}$; $\quad 1 + y'^2 = \dfrac{a^4 y^2 + b^4 x^2}{a^4 y^2} = \dfrac{S}{a^4 y^2}$; $\quad y'' = -\dfrac{b^4}{a^2 y^3}$

(3) $\xi = x \left(1 - \dfrac{S}{a^4 b^2}\right) = \dfrac{x}{a^4 b^2} \left[a^4 (b^2 - y^2) - b^4 x^2\right] =$

$$= \dfrac{x}{a^4 b^2} e^2 b^2 x^2 = \dfrac{e^2 x^3}{a^4} \text{ *}$$

$\eta = y \left(1 - \dfrac{S}{a^2 b^4}\right) = \dfrac{y}{a^2 b^4} \left[b^4 (a^2 - x^2) - a^4 y^2\right] =$

$$= \dfrac{y}{a^2 b^4} (- e^2 a^2 y^2) = -\dfrac{e^2 y^3}{b^4},$$

hieraus $\dfrac{x^3}{a^3} = \dfrac{a \xi}{e^2}$ und $\dfrac{y^3}{b^3} = -\dfrac{b \eta}{e^2}$;

in die Ellipsengleichung eingesetzt, erhält man

$$\left[\dfrac{a \xi}{e^2}\right]^{2/3} + \left[\dfrac{b \eta}{e^2}\right]^{2/3} = 1$$

$$(a \xi)^{2/3} + (b \eta)^{2/3} = e^{4/3}$$

Für $\eta = 0$ wird $\xi = \dfrac{e^2}{a}$, also $\varrho_a = a - \dfrac{e^2}{a} = \dfrac{b^2}{a}$ $\left.\begin{array}{c} \\ \\ \end{array}\right\}$ wie in 2.

für $\xi = 0$ wird $\eta = \dfrac{e^2}{b}$, also $\varrho_b = b + \dfrac{e^2}{b} = \dfrac{a^2}{b}$

168. Die Evolute der Hyperbel $\dfrac{x^2}{a^2} - \dfrac{y^2}{b^2} = 1$

hat die Gleichung $(a \xi)^{2/3} - (b \eta)^{2/3} = e^{4/3}$ *. (Zeichnung!)

Für die gleichseitige Hyperbel $x^2 - y^2 = a^2$ (mit $e^2 = 2 a^2$) ist

$$\xi^{2/3} - \eta^{2/3} = (2 a)^{2/3}.$$

---

* Für die Ellipse ist $a^2 - b^2 = e^2$; für die Hyperbel ist $a^2 + b^2 = e^2$.

§ 16. Unendliche Potenzreihen

Bei allen naturwissenschaftlichen Untersuchungen steht an erster Stelle das Experiment. Liegt genügendes Beobachtungsmaterial vor, dann versucht der Forscher, daraus das Gesetz abzuleiten, das den Ablauf des betrachteten Vorganges beherrscht.

1 Ausdehnung eines Drahtes

Wir haben einen Zinkdraht von 1 m = 1000 mm Länge (bei 0°) erwärmt und bei den Temperaturen t die Längenzunahmen z gemessen.

t	47	107	144	189	220	266	340	Grad
z	1,5	3,3	4,4	5,9	6,7	7,8	10,4	mm
$a = \dfrac{z}{t}$	3,05	3,25	2,91	3,21	3,28	2,96	3,06	10^{-2} mm/Grad

Berechnen wir hieraus die Längenzunahme je Grad Temperaturerhöhung, die ,,Ausdehnungszahl'' α , so finden wir mit ziemlicher Annäherung den konstanten Wert $\alpha = 0{,}03$ mm/Grad (der Mittelwert ist 0,031). Das bedeutet: Die Längenzunahme ist der Temperatur proportional:
$$z = \alpha \cdot t \, .$$

Ist L_0 die Länge des Drahtes bei 0°, so beträgt bei Erwärmung auf $t°$ die Längenzunahme $L_0 \cdot \alpha \cdot t$, somit die Länge des Drahtes bei $t°$:

(I) $\qquad L = L_0 + L_0 \, \alpha \, t = L_0 \, (1 + \alpha \, t)^{*} .$

2 Ausdehnung des Wassers

Der Ausdehnung des Wassers liegt kein so einfaches Gesetz zugrunde. Wird 1 Liter = 1000 cm³ Wasser erwärmt, so stellt man fest, daß die Volumenzunahme je Grad Temperaturerhöhung nicht konstant ist.

t	10	15	20	25	30	Grad
z	0,35	1,90	4,25	7,35	11,10	cm³
$\beta = \dfrac{z}{t}$	0,035	0,127	0,213	0,294	0,370	cm³ / Grad

Der Grund ist darin zu suchen, daß das Wasser (das wir uns in einem würfelförmigen Gefäß denken wollen) sich in allen drei Richtungen ausdehnt, während der dünne Draht — wenigstens praktisch — sich nur in einer Richtung ausdehnt**.

---

* Für $L_0 = 1$ m, $\alpha = 0{,}03$ mm $= 0{,}00003$ m wird für $t = 300°$ die Länge $L = 1{,}009$ m.
** Ein Zinkdraht von 1 mm² Querschnitt dehnt sich bei Erwärmung um 100° um nur 0,0017 mm in der ,,Dicke'' aus.

Machen wir die wahrscheinliche Annahme, daß die Ausdehnung einer Flüssigkeit in jeder Dimension dem oben abgeleiteten Gesetz (I) folgt, dann erhalten wir einen Ausdruck für die räumliche Ausdehnung.

Die Länge der Würfelkante bei $0°$ sei L_0

die Länge der Würfelkante bei $t°$ sei L

das Volumen des Würfels bei $0°$ sei $V_0 = L_0^3$

das Volumen des Würfels bei $t°$ sei $V = L^3$

Wegen (I) ist dann

$$V = L^3 = L_0^3 (1 + \alpha t)^3 = V_0 (1 + \alpha t)^3$$
$$V = V_0 (1 + 3 \alpha t + 3 \alpha^2 t^2 + \alpha^3 t^3)$$

Setzen wir zur Abkürzung $3 \alpha = a$, $3 \alpha^2 = b$, $\alpha^3 = c$, so wird

$$V = V_0 (1 + a t + b t^2 + c t^3).$$

Ist im besonderen $V_0 = 1$, also

$$V = 1 + a t + b t^2 + c t^3,$$

so beträgt die Volumenzunahme

(II) $z = a t + b t^2 + c t^3$

und die Volumenzunahme je Grad

$$\beta = \frac{z}{t} = a + b t + c t^2,$$

die nicht konstant, sondern von der Temperatur abhängig ist.

Um die drei unbekannten Koeffizienten a, b, c zu berechnen, setzen wir in (II) für 3 verschiedene Temperaturen (z.B. $10°$, $20°$, $30°$) die zugehörigen Volumenzunahmen ein:

$$10\, a + 100\, b + 1000\, c = 0{,}00035 *$$
$$20\, a + 400\, b + 8000\, c = 0{,}00425$$
$$30\, a + 900\, b + 27000\, c = 0{,}01110$$

Aus diesen drei Gleichungen erhalten wir**

$$a = -\, 0{,}0001625, \quad b = 0{,}0000207, \quad c = -\, 0{,}0000001.$$

(Genauere Versuche haben $a = -\, 0{,}0001608$ ergeben.)

Somit lautet das Ausdehnungsgesetz

$$V = V_0 (1 - 0{,}0001608\, t + 0{,}0000207\, t^2 - 0{,}0000001\, t^3).$$

---

* in dm^3
** MR 22, § 27.

Seine Richtigkeit kann man nachprüfen, indem man für beliebige Temperaturen die Volumina berechnet und diese mit den experimentell gefundenen Werten vergleicht*.

3 Das Korrektionsglied

Der kleine Wert von c läßt vermuten, daß wir keinen allzu großen Fehler begehen, wenn wir das Glied $c\,t^3$ vernachlässigen, wenigstens für niedrige Temperaturen**. Dies trifft in der Tat zu, so daß das Glied $c\,t^3$ als „Korrektionsglied" aufgefaßt werden kann, dessen Berücksichtigung sich nach dem verlangten bzw. möglichen Grad der Meßgenauigkeit richtet.

Wir können uns aber auch den umgekehrten Fall denken, daß noch genauere Messungen (als die in der Tabelle angegebenen) ergeben hätten, daß der Ausdruck

$$V = 1 + a\,t + b\,t^2 + c\,t^3$$

nicht genau der Wirklichkeit entspricht, sondern daß das Volumen um einen, wenn auch sehr geringen Betrag größer (oder kleiner) wäre. Wir müßten dann unsere Formel korrigieren, etwa durch Hinzufügen eines Korrektionsgliedes $d \cdot t^4$.

Die Verallgemeinerung dieses Gedankens bringt uns auf die Frage, ob man einer solchen Formel nicht eine absolute Genauigkeit geben kann, indem man sämtliche möglichen Korrektionsglieder in die Formel aufnimmt. Mit anderen Worten: wir hätten uns die Formel als eine beliebig lang fortzusetzende Summe von Gliedern zu schreiben, etwa

$$V = 1 + a\,t + b\,t^2 + c\,t^3 + d\,t^4 + e\,t^5 + \cdots$$

4 Die unendliche Potenzreihe

Dieser Gedankengang ist für die Entwicklung der Differentialrechnung sehr fruchtbar gewesen. In der letzten Formel erscheint das Volumen V als Funktion der Temperatur t. Benutzen wir für die beiden Veränderlichen die gebräuchlichen Buchstaben x und y, dann wäre die allgemeinste Funktion dieser Art die unendliche Potenzreihe

$$y = A + B\,x + C\,x^2 + D\,x^3 + E\,x^4 + \cdots$$

Bleiben wir noch einen Augenblick bei unserem Beispiel. Durch die Potenzreihe würde — rein theoretisch — das genaue Ausdehnungsgesetz wiedergegeben. Bei $x = 0°$ wäre das Volumen $y = A$, also A das Volumen bei $0°$. Die Koeffizienten B, C usw. wären für jeden Stoff charakteristische Konstanten, die zunächst noch unbekannt sind. Gelänge ihre Berechnung (vgl. 2), dann wäre das exakte Gesetz formuliert.

---

* Für $t = 25°$ wird $z = 7,355$ (berechnet) statt $7,35$ cm^3 (gemessen).
** Für $t = 10°$ ist $c\,t^3 = 0,1$ cm^3, was bei einem Kolbenhalsdurchmesser von 3 cm einem Höhenunterschied von nur $0,15$ mm entspricht!

5 Grenzwert einer Potenzreihe

Wir haben bereits in § 1, 13 einige unendliche Reihen kennengelernt und wollen jetzt untersuchen, unter welchen Voraussetzungen eine unendliche Reihe konvergiert, also einen Grenzwert besitzt.

(34)   **Eine alternierende unendliche Reihe konvergiert, wenn ihre Glieder absolut genommen monoton abnehmen und mit wachsendem n gegen Null streben.**

$$s = a_1 - a_2 + a_3 - a_4 \pm \cdots \pm a_{n-1} \mp R_n.$$

Beweis. Wir schreiben das „Restglied" R_n (das ist die Summe aller nach a_{n-1} noch folgenden Glieder) in der Form

$$|R_n| = a_n - (a_{n+1} - a_{n+2}) - (a_{n+3} - a_{n+4}) - \cdots$$

und erkennen, daß alle Klammern nach Voraussetzung positiv sind, daß also $|R_n| < a_n$ oder

$$R_n < |a_n|.$$

Wegen $\lim\limits_{n \to \infty} a_n = 0$ (nach Voraussetzung) kann das R e s t g l i e d b e l i e b i g k l e i n gemacht werden: die Reihe besitzt einen Grenzwert, der den Wert

$$a_1 - a_2 + a_3 \pm \cdots \pm a_{n-1} + |a_n|$$

niemals erreicht und erst recht nicht überschreitet.

Anschaulich folgt diese Tatsache aus einer Zeichnung; vgl. MR 23, Abb. 41 bis 43.

Beispiel. Die alternierende harmonische Reihe

$$s = 1 - \frac{1}{2} + \frac{1}{3} - \frac{1}{4} \pm \cdots$$

mit $s_4 = 0,583$ ist kleiner als $0,583 + \dfrac{1}{5} = 0,783$. Man findet leicht $s = 0,693$ (MR 23, § 60).

(35)   **Eine unendliche Reihe mit nur positiven Gliedern konvergiert, wenn von einer bestimmten Stelle an jeder Quotient aus einem Glied und dem vorhergehenden Glied stets kleiner oder höchstens gleich einem angebbaren echten Bruch $q \; (< 1)$ ist (Cauchy).**

$$s = a_1 + a_2 + a_3 + \cdots + a_{n-1} + R_n$$

Beweis. Nach Voraussetzung ist $\dfrac{a_{n+1}}{a_n} \lesseqgtr q < 1$

oder $\qquad a_{n+1} \lesseqgtr a_n\, q$

ebenso ist $\qquad a_{n+2} \lesseqgtr a_{n+1}\, q \lesseqgtr a_n\, q^2$

$$a_{n+3} \lesseqgtr a_n\, q^3$$

usw.

Addieren wir alle diese Ungleichungen unter Hinzufügung von

$$a_n \;=\; a_n,$$

so erscheint links das Restglied $R_n = a_n + a_{n+1} + \cdots$, rechts die geometrische Reihe $a_n\, (1 + q + q^2 + \cdots)$

mit dem Grenzwert $\qquad a_n \dfrac{1}{1-q}$

also $\qquad\qquad R_n \lesseqgtr a_n \cdot \dfrac{1}{1-q}.$

Mithin $\quad s \lesseqgtr a_1 + a_2 + a_3 + \cdots + a_{n-1} + \dfrac{a_n}{1-q}:$
Die Reihe hat einen Grenzwert.

169. $\; s = \dfrac{1}{2!} + \dfrac{2}{3!} + \dfrac{3}{4!} + \cdots + \dfrac{n}{(n+1)!} + \dfrac{n+1}{(n+2)!} + \cdots$

$$\frac{a_{n+1}}{a_n} = \frac{n+1}{n\,(n+2)} < \frac{1}{n}.$$

Schon für $n = 2$ ist dieser Quotient $< \dfrac{1}{2}$; die Konvergenzbedingung ist erfüllt: die Reihe ist konvergent. Ihr Grenzwert ist **1** (10 Glieder auf 7 Dezimalen).

170. $\; s = \dfrac{1}{1\cdot 3} + \dfrac{1}{2\cdot 4} + \dfrac{1}{3\cdot 5} + \cdots + \dfrac{1}{n\,(n+2)} + \dfrac{1}{(n+1)\,(n+3)} + \cdots$

$$\frac{a_{n+1}}{a_n} = \frac{n\,(n+2)}{(n+1)\,(n+3)} = \frac{n^2 + 2\,n}{n^2 + 4\,n + 3} = 1 - \frac{2\,n+3}{n^2 + 4\,n + 3}.$$

Dieser Quotient ist zwar kleiner als 1, strebt aber mit wachsendem n gegen 1 $\left(\lim \dfrac{a_{n+1}}{a_n} = 1^*\right)$; mithin ist die Konvergenzbedingung n i c h t erfüllt. Trotzdem konvergiert diese Reihe, wenn auch nur sehr langsam. Es ist

---

* Für $n = 100$ ist $a_{n+1} : a_n = 1 - 0{,}04 = 0{,}96,$

für $n = 1000$ ist $a_{n+1} : a_n = 1 - 0{,}004 = 0{,}996$ usw.

$$\frac{1}{n\,(n+2)} = \frac{1}{2}\left(\frac{1}{n} - \frac{1}{n+2}\right), \text{ also}$$

$$2\,s = \frac{1}{1} - \frac{1}{3} + \frac{1}{2} - \frac{1}{4} + \frac{1}{3} - \frac{1}{5} + \frac{1}{4} - \frac{1}{6} + - \cdots$$

$$= 1 + \frac{1}{2} + \frac{1}{3} + \frac{1}{4} + \cdots - \left(\frac{1}{3} + \frac{1}{4} + \frac{1}{5} + \frac{1}{6} + \cdots\right)$$
$$+ \ ! \quad 00 \quad + \ ! \quad 0 \quad 0$$

Da alle Glieder in der Klammer wegfallen, so ist $2\,s = 1\frac{1}{2}$, also

$s = \dfrac{3}{4}$. (Mit 20 Gliedern findet man wegen der langsamen Konvergenz den Wert 0,694.)

171. $s = \dfrac{1}{1} + \dfrac{1}{3} + \dfrac{1}{5} + \cdots + \dfrac{1}{2\,n-1} + \dfrac{1}{2\,n+1} + \cdots$

$$\frac{a_{n+1}}{a_n} = \frac{2\,n-1}{2\,n+1} = 1 - \frac{2}{2\,n+1}; \ \lim_{n\to\infty}\frac{a_{n+1}}{a_n} = 1:$$

die Konvergenzbedingung ist nicht erfüllt.

Wir vergleichen unsere Reihe mit der folgenden v-Reihe, die größere Nenner besitzt, also kleiner ist: $v < s$ oder $s > v$.

$$v = \frac{1}{2} + \frac{1}{4} + \frac{1}{6} + \cdots = \frac{1}{2}\left(1 + \frac{1}{2} + \frac{1}{3} + \cdots\right)$$

Die Klammer enthält die harmonische Reihe, die nicht konvergent ist (MR 23, § 61), so daß unsere s-Reihe erst recht divergent ist.

Aus diesen Aufgaben erkennen wir:

> **Die Konvergenzbedingung (35) von Cauchy ist hinreichend, aber nicht notwendig.**

Das bedeutet: Ist sie erfüllt (169), dann konvergiert die Reihe. Ist sie nicht erfüllt, so darf daraus nicht gefolgert werden, daß die Reihe divergiert; man muß dann durch eine geeignete Untersuchung feststellen, ob sie konvergent (170) oder divergent (171) ist.

6 Konvergenz

Die ganze rationale Funktion

$$y = a_0 + a_1 x + a_2 x^2 + \cdots + a_n x^n$$

wird als **Potenzreihe** bezeichnet. Hier soll die **unendliche Potenzreihe** auf ihre Konvergenz untersucht werden.

$$s = a_0 \pm a_1 x + a_2 x^2 \pm \cdots \pm a_n x^n \mp a_{n+1} x^{n+1} \pm \cdots$$

Nach **(34)** konvergiert die **alternierende Potenzreihe** für $\lim\limits_{n \to \infty} a_n x^n = 0$.

172.
$$s = 1 - \frac{2x}{1} + \frac{3x^2}{2} - \frac{4x^3}{3} + \cdots + \frac{(n+1)x^n}{n} \cdots$$

Die Bedingung $\lim\limits_{n \to \infty} \dfrac{n+1}{n} x^n = 0$ ist, da $\dfrac{n+1}{n} = 1 + \dfrac{1}{n}$ gegen 1 strebt, nur erfüllt, wenn $x < 1$ ist.

Für $x = \dfrac{1}{2}$ ist $s = 1 - 1 + \dfrac{1}{4} \left(\dfrac{3}{2} - \dfrac{2}{3} + \dfrac{5}{16} - \dfrac{3}{20} \pm \cdots \right)$

Aus s_{10} finden wir durch abwechselndes Addieren und Subtrahieren je 2 weiterer Glieder und wiederholte Mittelwertbildung (vgl. MR 23):

$s_{10} = 0{,}260\,483$			
$s_{11} = \quad\quad 1\,557$	$1\,020$	$1\,155$	
$1\,024$	$1\,290$	$1\,223$	$1\,189$
$1\,288$	$1\,156$	$1\,190$	$1\,207$
$s_{14} = \quad\quad 1\,156$	$1\,223$		

$0{,}261\,189 < s < 0{,}261\,207$, also $s = \mathbf{0{,}2612}$

Nach **(35)** konvergiert die nur positive Glieder enthaltende Potenzreihe, wenn von einer bestimmten Stelle an

$$\frac{a_{n+1} x^{n+1}}{a_n x^n} = \frac{a_{n+1}}{a_n} x \lesseqgtr q < 1 \text{ ist.}$$

173.
$$s = \frac{x}{1} + \frac{x^3}{3} + \frac{x^5}{5} + \cdots + \frac{x^{2n-1}}{2n-1} + \frac{x^{2n+1}}{2n+1} + \cdots$$

Die Bedingung $\lim\limits_{n \to \infty} \dfrac{2n-1}{2n+1} x^2 \lesseqgtr q < 1$ ist nur erfüllt für $|x| < 1$, da $\dfrac{2n-1}{2n+1}$ gegen 1 strebt.

Für $x = 0,5$ wird $s = 0,549\,31\ldots$

174. $\quad s = x + 2\,x^2 + 3\,x^3 + \cdots + n\,x^n + (n+1)\,x^{n+1} + \cdots$

$$\lim_{n \to \infty} \frac{n+1}{n}\, x \gtrless q < 1,\ \text{wenn}\ |x| < 1.$$

Für $x = \dfrac{1}{3}$ wird $s = \dfrac{3}{4}$ (mit 10 Gliedern).

Anmerkung. Für $x = 1$ lautet die Reihe (173):

$1 + \dfrac{1}{3} + \dfrac{1}{5} + \ldots$, die nach (171) divergiert.

Für $x = 1$ heißt die Reihe (174): $1 + 2 + 3 + \ldots$, die offensichtlich divergent ist.

7 Konvergenzbereich

Die Gesamtheit aller x-Werte, für die eine Potenzreihe konvergiert, wird als **Konvergenzbereich** der Reihe bezeichnet. Innerhalb des Konvergenzbereiches stellt die Reihe eine **stetige** Funktion von x dar[*].

Der Konvergenzbereich folgender Reihen ist anzugeben.

175. $\quad s = \dfrac{x}{1^2} + \dfrac{x^2}{2^2} + \dfrac{x^3}{3^2} + \cdots + \dfrac{x^n}{n^2} + \cdots$

Die Bedingung $\left(\dfrac{n}{n+1}\right)^2 x \gtrless q$ ist wegen $\lim \dfrac{n}{n+1} = 1$ nur erfüllt, wenn $x < 1$. Für $x = 1$ konvergiert die Reihe auch, denn die konvergente t-Reihe mit kleineren Nennern ist größer als die s-Reihe ($s < t$):

$$s = \frac{1}{1^2} + \frac{1}{2^2} + \frac{1}{3^2} + \frac{1}{4^2} + \cdots + \frac{1}{7^2} + \frac{1}{8^2} + \cdots + \frac{1}{15^2} + \cdots$$

$$t = 1 + \frac{1}{2^2} + \frac{1}{2^2} + \underbrace{\qquad\frac{4}{4^2}\qquad}_{} + \underbrace{\qquad\frac{8}{8^2}\qquad}_{} + \cdots$$

$$= 1 + \quad \frac{1}{2} \quad + \frac{1}{4} \quad + \quad \frac{1}{8} + \cdots = 2,$$

also $s < 2$. Wegen der langsamen Konvergenz ist

$$s_{10} = 1{,}550, \quad s_{20} = 1{,}596, \quad s_{30} = 1{,}612.$$

---

[*] Der Beweis muß hier übergangen werden.

Für $x < 0$ liegt eine alternierende Reihe vor, die wegen $\lim \dfrac{1}{n^2} = 0$ auch noch für $x = -1$ konvergiert.

Konvergenzbereich $x \gtreqless |1|$

176.
$$s = \frac{x}{1^2} - \frac{x^2}{2^2} + \frac{x^3}{3^2} - \frac{x^4}{4^2} + - \cdots$$

Die Reihe konvergiert für $x \gtreqless 1$, da $\lim \dfrac{1}{n^2} = 0$. Ihr Grenzwert ist wegen $1 - \left(\dfrac{1}{2^2} - \dfrac{1}{3^2}\right) - \left(\dfrac{1}{4^2} - \dfrac{1}{5^2}\right) - \cdots < 1$.

Aus $s_8 = 0{,}815\,616$ findet man durch Addition und Subtraktion von je 4 weiteren Gliedern und wiederholte Mittelwertbildung

$$0{,}822\,46_6 < s < 0{,}822\,46_8 .$$

Wenn $x < 0$, so sind alle Glieder negativ: es liegt die Reihe 175 mit entgegengesetztem Vorzeichen vor, daher

Konvergenzbereich $x \gtreqless |1|$

177.
$$s = \frac{x}{1^3} + \frac{x^2}{2^3} + \frac{x^3}{3^3} + \cdots \text{ (vgl. dazu 175)}$$

Die Reihe konvergiert auch noch für $x = 1$:

$$t = 1 + \frac{1}{2^3} + \frac{1}{2^3} + \frac{4}{4^3} + \frac{8}{8^3} + \cdots$$

$$= 1 + \frac{1}{4} + \frac{1}{4^2} + \frac{1}{4^3} + \cdots = 1\frac{1}{3}$$

$s < 1{,}\overline{3}\ldots$, $s_{10} = 1{,}197\,53$, $s_{20} = 1{,}200\,87$.

Konvergenzbereich $x \gtreqless |1|$

178.
$$\frac{x}{\sqrt{1}} - \frac{x^2}{\sqrt{2}} + \frac{x^3}{\sqrt{3}} - \frac{x^4}{\sqrt{4}} + - \cdots$$

Für $x = 1$ ist $\lim \dfrac{1}{\sqrt{n}} = 0$; $s_3 = 0{,}409\,21$; die Addition und Subtraktion je 2 weiterer Glieder liefert $0{,}6048_2 < s < 0{,}6048_5$.

Für $x < 0$ ist $\lim \dfrac{x^{n+1}}{\sqrt{n+1}} \cdot \dfrac{\sqrt{n}}{x^n} = x \gtreqless q < 1$, daher konvergiert die Reihe nur für $x > -1$ (aber nicht für $x = -1$).

Konvergenzbereich $-1 < x \gtreqless +1$

179. $$s = 1 + \frac{x}{1!} + \frac{x^2}{2!} + \frac{x^3}{3!} + \cdots$$

Die Bedingung ist erfüllt, wenn $\dfrac{x^{n+1}}{(n+1)!} : \dfrac{x^n}{n!} = \dfrac{x}{n+1} \gtrless q < 1$,

also $x < n + 1$ oder $n > x - 1$. Wegen $n \to \infty$ konvergiert die Reihe für jedes endliche x. — Für $x = 3$ ist von $n > 2$, also von $\dfrac{3^3}{3!} = 4{,}5$ ab jedes Glied kleiner als das vorhergehende:

$$s = 1 + 3 + 4{,}5 + \vdots\ 4{,}5 + 3{,}375 + 2{,}025 + 1{,}0125 + \cdots$$

Mit 15 Gliedern wird $s = 20{,}0855$.

Nach § 1. 13 ist die vorliegende Reihe gleich e^x, also die berechnete Summe gleich e^3.

Konvergenzbereich $|x| < \infty$.

180. $$s = \frac{\sin x}{1^2} + \frac{\sin 2x}{2^2} + \frac{\sin 3x}{3^2} + \cdots$$

Da $\sin \alpha \gtrless |1|$, so ist $s \gtrless \dfrac{1}{1^2} + \dfrac{1}{2^2} + \dfrac{1}{3^2} + \cdots < 2$ (nach 175).

Für $x = \dfrac{\pi}{6}$ ist

a_1 bis $a_6 = 0{,}90177$		Mittelwerte:
	$s_{12} = 0{,}85289$	
a_7 bis $a_{12} = -0{,}04888$		$0{,}86135$
	$s_{18} = 0{,}86982$	
a_{13} bis $a_{18} = 0{,}01693$		$0{,}86555$
	$s_{24} = 0{,}86127$	
a_{19} bis $a_{24} = -0{,}00855$		

$$0{,}86_{13} < s < 0{,}86_{55}$$

Für $x = \dfrac{\pi}{2}$ wird $0{,}91596_6 < s < 0{,}91596_8$

Konvergenzbereich $|x| < \infty$

8 **Wenn eine unendliche Potenzreihe für alle x zwischen u und v nach Cauchy konvergiert, so konvergieren auch ihre sämtlichen Ableitungen.**

$$f(x) = a_0 + a_1 x + a_2 x^2 + \cdots + a_n x^n + \cdots$$

Voraussetzung: $\dfrac{a_{n+1}}{a_n} x \gtrless q < 1$

$$f'(x) = a_1 + 2 a_2 x + 3 a_3 x^2 + \cdots + n a_n x^{n-1}$$
$$+ (n+1) a_{n+1} x^n + \cdots *$$

---

* Daß eine unendliche konvergente Potenzreihe gliedweise differenziert werden kann, bedarf des Beweises, der hier nicht gebracht werden kann.

Gefordert wird $\dfrac{(n+1)\,a_{n+1}}{n\,a_n}\,x \gtreqless q < 1.$

Da $\lim\limits_{n \to \infty} \dfrac{n+1}{n} = \lim\limits_{n \to \infty}\left(1 + \dfrac{1}{n}\right) = 1$, so muß $\dfrac{a_{n+1}}{a_n}\,x \gtreqless q < 1$ sein, was nach Voraussetzung der Fall ist.

9   **Wenn zwei konvergente unendliche Potenzreihen für jedes x innerhalb des Intervalls $0 \leqq x \leqq k$ gleich sind, so sind die Koeffizienten gleich hoher Potenzen gleich.**

Es sei $\quad a_0 + a_1 x + a_2 x^2 + \cdots = b_0 + b_1 x + b_2 x^2 + \cdots$

Für $x = 0$ folgt $\qquad a_0 = b_0\,,$

mithin $\quad a_1 x + a_2 x^2 + \cdots \;= b_1 x + b_2 x^2 + \cdots$

oder $\quad x\,(a_1 + a_2 x + \cdots) = x\,(b_1 + b_2 x + \cdots)$

Für jedes von Null verschiedene $x \geqq k$ ist dann

$$a_1 + a_2 x + \cdots = b_1 + b_2 x + \cdots$$

Wegen der Stetigkeit gilt diese Beziehung auch noch für $x = 0$; daraus folgt:
$$a_1 = b_1\,.$$
In gleicher Weise folgt $\qquad a_2 = b_2$ usw.

Diese Sätze haben eine große Bedeutung für die Aufgabe, eine Funktion in eine endliche oder in eine unendliche konvergente Potenzreihe zu entwickeln.

10 Die Taylor-Reihe (TR)

Eine Funktion $f(x)$, die mit ihren sämtlichen Ableitungen von x bis $x + h$ einwertig und differenzierbar ist, läßt sich darstellen in der Form

$$(36)\quad f(x+h) = f(x) + \frac{h}{1!}\,f'(x) + \frac{h^2}{2!}\,f''(x) + \frac{h^3}{3!}\,f'''(x) + \cdots$$

Es sei $f(x) = a_0 + a_1 x + a_2 x^2 + a_3 x^3 + \cdots + a_n x^n$ eine ganze rationale Funktion n^{ten} Grades, die ja die Voraussetzung erfüllt. Dann ist

$$f(x+h) = a_0 + a_1\,(x+h) + a_2\,(x+h)^2 + a_3\,(x+h)^3 + \cdots$$
$$+ a_n(x+h)^n.$$

Wir berechnen die einzelnen Klammern mit dem Binomischen Satz und ordnen nach Potenzen von h:

$$f(x + h) = a_0 + a_1 x + a_2 x^2 + a_3 x^3 + \cdots$$
$$+ (a_1 + 2\, a_2 x + 3\, a_3 x^2 + \cdots)\, h$$
$$+ (a_2 + 3\, a_3 x + \cdots)\, h^2$$
$$+ (a_3 + \cdots)\, h^3 + \cdots + a_n h^n,$$

oder wenn wir die erste Zeile mit A_0, die folgenden Klammern mit A_1, A_2, A_3 usw. abkürzen und $a_n = A_n$ nennen:

$$f(x + h) = A_0 + A_1 h + A_2 h^2 + A_3 h^3 + \cdots + A_n h^n. \quad (1)$$

Hierin sind die Koeffizienten A_0 bis A_n Funktionen von x, jedoch von h unabhängig. Wir betrachten x als konstant, h als die unabhängige Veränderliche und differenzieren wiederholt nach h:

$$f'(x + h) = A_1 + 2\, A_2 h + 3\, A_3 h^2 + 4\, A_4 h^3 + \cdots$$
$$f''(x + h) = 2\, A_2 + 2 \cdot 3\, A_3 h + 3 \cdot 4\, A_4 h^2 + \cdots$$
$$f'''(x + h) = 2 \cdot 3\, A_3 + 2 \cdot 3 \cdot 4\, A_4 h + \cdots$$
$$f^{(4)}(x + h) = 2 \cdot 3 \cdot 4\, A_4 + \cdots$$
$$\vdots$$
$$f^{(n)}(x + h) = 2 \cdot 3 \cdot 4 \cdots n \cdot A_n$$

$$f^{(n+1)}(x + h) = 0.$$

Wir setzen nun in $f(x + h)$ sowie in sämtlichen Ableitungen $h = 0$:

$$f(x) = A_0$$
$$f'(x) = A_1 = 1! \cdot A_1$$
$$f''(x) = 2\, A_2 = 2! \cdot A_2$$
$$f'''(x) = 2 \cdot 3 \cdot A_3 = 3! \cdot A_3$$
$$f^{(4)}(x) = 2 \cdot 3 \cdot 4 \cdot A_4 = 4! \cdot A_4$$
$$\vdots$$
$$f^{(n)}(x) = n! \cdot A_n,$$

daraus $A_0 = f(x)$, $A_1 = \dfrac{f'(x)}{1!}$, $A_2 = \dfrac{f''(x)}{2!}$ usw., $A_n = \dfrac{f^{(n)}(x)}{n!}$.

Setzen wir diese Werte in (1) ein, so entsteht die obige **Taylor-Reihe**.

$$f(x + h) = f(x) + \frac{f'(x)}{1!} h + \frac{f''(x)}{2!} h^2 + \cdots + \frac{f^{(n)}(x)}{n!} h^n .$$

11 Methode des unbestimmten Koeffizienten

Diese Reihe gilt für jeden endlichen Wert von x und h. In ihr sind die zunächst noch unbestimmten Koeffizienten in (1) durch die Ableitungen der Funktion ausgedrückt.

Ist $f(x)$ eine **beliebige** Funktion, die die Voraussetzungen von (9) erfüllt, so setzen wir wie in (1) eine Reihe mit unbestimmten Koeffizienten an, nur mit dem Unterschied, daß sie **kein Ende** hat, da hier nicht die $(n + 1)^{te}$ sowie die folgenden Ableitungen gleich Null werden. Nach dem angegebenen Verfahren erhalten wir die unendliche **Taylor-Reihe**.

Die TR gestattet, beliebige Funktionswerte zu berechnen, wenn die Funktion und ihre Ableitungen für einen bestimmten x-Wert bekannt sind.

Die **Konvergenz** muß von Fall zu Fall geprüft werden. Dazu wird gelegentlich das Restglied R_n herangezogen, wobei die Reihe konvergiert, wenn $\lim_{n \to \infty} R_n = 0$.

12 Restglied von Lagrange:

$$R_n = \frac{h^n}{n!} f^{(n)}(x + \Theta h) \quad \text{mit} \quad 0 < \Theta < 1 .$$

Bricht man die TR schon nach dem ersten Glied $f(x)$ ab und vereinigt alle folgenden Glieder zu dem Restglied

$$\frac{h^1}{1!} f'(x + \Theta h) = h \cdot f'(x + \Theta h),$$

so wird $\qquad f(x + h) = f(x) + h \cdot f'(x + \Theta h),$

das ist aber der Mittelwertsatz (§ 14, 1)*.

13 Die MacLaurin-Reihe (MLR)

Eine Funktion $f(x)$, die mit ihren sämtlichen Ableitungen im Intervall $x = -h$ bis $x = +h$ einwertig und differenzierbar ist, läßt sich darstellen in der Form

$$(37) \quad f(x) = f(0) + \frac{x}{1!} f'(0) + \frac{x^2}{2!} f''(0) + \frac{x^3}{3!} f'''(0) + \cdots$$

---

* In (36) ist $x < \xi < x + h$; ξ ist kleiner als $x + h$, nämlich gleich $x + \Theta h$, wenn Θ ein echter Bruch ist.

Wir gewinnen die MLR nach der Methode der unbestimmten Koeffizienten.

$$f(x) = A_0 + A_1 x + A_2 x^2 + A_3 x^3 + A_4 x^4 + \cdots \qquad (2)$$

$$f'(x) = A_1 + 2 A_2 x + 3 A_3 x^2 + 4 A_4 x^3 + \cdots$$

$$f''(x) = 2 A_2 + 2 \cdot 3 A_3 x + 3 \cdot 4 A_4 x^2 + \cdots$$

$$f'''(x) = 2 \cdot 3 A_3 + 2 \cdot 3 \cdot 4 A_4 x + \cdots$$

$$f^{(4)}(x) = 2 \cdot 3 \cdot 4 \cdot A_4 + \cdots \text{ usw.}$$

Für $x = 0$ ist

$$f(0) = A_0 , \; f'(0) = A_1 , \; f''(0) = 2 A_2 , \; f'''(0) = 2 \cdot 3 A_3 ,$$

$$f^{(4)}(0) = 2 \cdot 3 \cdot 4 A_4 \text{ usw.},$$

daraus $A_0 = f(0)$, $A_1 = \dfrac{f'(0)}{1!}$, $A_2 = \dfrac{f''(0)}{2!}$, $A_3 = \dfrac{f'''(0)}{3!}$ usw.

Beim Einsetzen dieser Koeffizienten in (2) ergibt sich die obige Reihe.

Restglied: $R_n = \dfrac{x^n}{n!} f^{(n)}(\Theta x)$ mit $0 < \Theta < 1$.

Anmerkung. Bricht man die MLR bzw. die TR nach dem dritten Glied ab, so erhält man die betreffenden Näherungsparabeln (§ 15, 3).

Bedeutung und Anwendung der TR und der MLR werden in MR 34, §§ 31—34, behandelt.

§ 17. Minimum- und Maximumrechnung

In § 2, 2 (Abb. 5) haben wir eine kubische Parabel gezeichnet und erkannt, daß sie einen „Berg" und ein „Tal" besitzt.

1 Extreme

1.1 Definition

Unter einem Maximum (Hochwert) verstehen wir eine Stelle der Kurve, wo die Ordinate größer ist als die Ordinaten der Nachbarpunkte; unter einem Minimum (Tiefwert) verstehen wir eine Stelle, wo die Ordinate der Kurve kleiner ist als die Ordinaten der Nachbarpunkte.

Eine Funktion $y = f(x)$ hat an der Stelle $x = \xi$ ein

$$\left\{ \begin{matrix} \text{Maximum} \\ \text{Minimum} \end{matrix} \right\}, \text{ wenn } \left\{ \begin{matrix} f(\xi) > f(\xi \pm h) \\ f(\xi) < f(\xi \pm h) \end{matrix} \right\} \text{ ist .}$$

Maximum und Minimum führen den gemeinsamen Namen „Extreme".

1.2 Beispiel

Wir zeichnen die kubische Parabel

$$y = \frac{1}{3} x^3 - 2 x^2 + 3 x + 3,5 \,.$$

Für sie ist $\quad y' = x^2 - 4 x + 3 \,.$

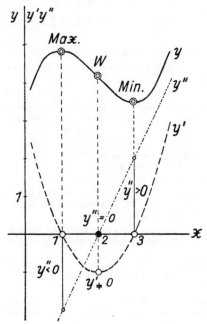

Abb. 36. Kubische Parabel mit Extremen und Wendepunkt

x	-1	0	0,5	**1**	1,5	2	2,5	**3**	3,5	4	5
y	$-1,83$	3,5	4,54	**4,83**	4,62	4,17	3,71	**3,5**	3,79	4,83	10,17
y'	8	3	1,25	**0**	$-0,75$	-1	$-0,75$	**0**	1,25	3	8

Aus der Wertetafel und der Abbildung erkennen wir, daß bei $1 \mid 4\frac{5}{6}$ ein Maximum und bei $3 \mid 3\frac{1}{2}$ ein Minimum vorhanden ist.

Kann man die Extremwerte einer Funktion auch ohne Zeichnung, also allein durch Rechnung feststellen?

Wir legen in den Extrempunkten die Tangenten an die Kurve und sehen, daß sie parallel zur x-Achse verlaufen, also die Steigung Null haben.

In den Extrempunkten einer Kurve ist $y' = 0$.

Um die Extreme unserer Kurve zu finden, müssen wir also diejenigen x-Werte in $y' = x^2 - 4x + 3$ ermitteln, für die $y' = 0$ wird. Aus

$$x^2 - 4x + 3 = 0$$

finden wir die Lösungen $x_1 = 3$ und $x_2 = 1$ als Abszissen der beiden Extreme.

1.3 Entscheidung über die Art des Extrems

Die Rechnung sagt aber nichts darüber aus, welche Abszisse dem Maximum und welche dem Minimum angehört. Wie uns die Entscheidung gelingt, zeigt die folgende Betrachtung.

Eine Kurve*, die bei wachsendem x im Uhrzeigersinn verläuft, nennen wir eine Rechtskurve; verläuft sie im Gegenuhrzeigersinn, so wird sie Linkskurve genannt.

Nehmen mit wachsendem x auch die Ordinaten zu, so haben wir eine steigende Kurve vor uns; nehmen aber die Ordinaten ab, so sprechen wir von einer fallenden Kurve (Abb. 37).

(1) Steigende Rechtskurve: Die an sie gezeichneten Tangenten bilden mit der x-Achse spitze Winkel ($\varphi < 90°$), so daß $\tan \varphi = y'$ stets positiv ist. Mit zunehmendem x nimmt φ und damit auch $\tan \varphi = y'$ ab.

(2) Fallende Rechtskurve: Sämtliche Winkel sind stumpf, also ist y' stets negativ. Auch hier nimmt φ und damit auch y' ab**.

(3) Steigende Linkskurve: Alle Winkel sind spitz, also ist y' positiv; die Winkel werden bei wachsendem x größer, y' nimmt also zu.

(4) Fallende Linkskurve: Die Winkel sind stumpf und nehmen bei wachsendem x zu, y' ist negativ und nimmt ebenfalls zu.

Ergebnis:

(I)   Für steigende Kurven ist $y' > 0$

(II) für fallende Kurven ist $y' < 0$

(III) für Rechtskurven ist y' abnehmend

(IV) für Linkskurven ist y' zunehmend

(5) In der Umgebung eines Maximums haben wir eine Rechtskurve vor uns, die vor dem Gipfelpunkt steigend, dahinter fallend ist. Nach (III) besitzt sie überall abnehmendes y'.

---

* Mit „Kurve" ist hier ein Kurvenstück in der Umgebung eines Punktes gemeint.
** $\tan 150° = -0,58$; $\tan 120° = -1,73$; $\tan 150° > \tan 120°$, denn $-0,58 > -1,73$.

Es handelt sich nun darum, für das **Abnehmen** von y', also in unserem Beispiel für das Abnehmen der Steigungsfunktion

$$y' = x^2 - 4x + 3,$$

einen geeigneten mathematischen Ausdruck zu finden. Wenn y' **abnimmt**, die y'-Kurve also **fallend** ist, so besitzt die y'-Kurve nach (II) eine **negative** Steigung.

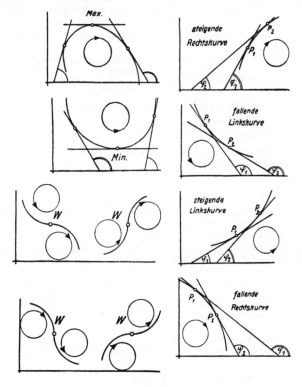

Abb. 37

Rechnerisch finden wir die Steigung der Parabel

$$y' = x^2 - 4x + 3,$$

indem wir diese Funktion differenzieren, d.h. die **zweite Ableitung** bilden (§ 14, 2):

$$y'' = 2x - 4.$$

Wenn also y'' für einen der errechneten x-Werte ($x_1 = 3$, $x_2 = 1$) negativ — aber nicht gleich Null — wird, so liegt ein Maximum vor. Dies trifft für $x = 1$ zu:

Für $x = 1$ wird $y'' = 2 \cdot 1 - 4 = -2$: Maximum.

(6) In der Umgebung eines Minimums haben wir eine Linkskurve vor uns, die nach (IV) zunehmendes y' besitzt. Die y'-Kurve ist also steigend und hat nach (I) positive Steigung. Wenn demnach y'' für einen der errechneten x-Werte positiv — aber nicht gleich Null — wird, so liegt ein Minimum vor.

Für $x = 3$ wird $y'' = 2 \cdot 3 - 4 = +2$: Minimum.

Für die kubische Parabel kommen wir damit zu folgendem Ergebnis:

Wenn für $x = \xi$ die erste Ableitung $f'(\xi) = 0$ und die zweite Ableitung $f''(\xi)$ $\begin{cases} < 0 \text{ (negativ)} \\ > 0 \text{ (positiv)} \end{cases}$, jedoch von Null verschieden ist*, so besitzt die Funktion an dieser Stelle ein $\begin{cases} \textbf{Maximum} \\ \textbf{Minimum} \end{cases}$.

Anmerkung. Die Umkehrung dieser Regel gilt nicht! Wenn eine Kurve ein Extrem besitzt, muß nicht $y'' \neq 0$ sein!

2 Wendepunkt

2.1 Definition

Die Stelle, an der eine Linkskurve in eine Rechtskurve übergeht, oder umgekehrt, heißt Wendepunkt**.

Anders ausgedrückt: Gleitet eine Tangente einer Kurve entlang und geht sie an einer Stelle $x = \xi$ von der Rechts- in eine Linksdrehung (oder umgekehrt) über, so hat sie dort einen Wendepunkt. Die Tangente im Wendepunkt heißt Wendetangente.

Wir zeichnen durch den Wendepunkt W eine beliebige Gerade (Abb. 38), die die Kurve in zwei weiteren Punkten P und Q schneidet. Drehen wir die Gerade um W so, daß P und Q sich nach W bewegen, so erhalten wir die Wendetangente als Grenzlage für den Fall, daß P und Q mit W zusammenfallen.

Beachte: Die Wendetangente durchsetzt die Kurve! Die Kurve „wendet" sich von der einen Seite der Tangente auf die andere Seite.

2.2 Im Wendepunkt ist y' ein Extrem

(1) Die Linkskurve mit zunehmendem y' geht im Wendepunkt in eine Rechtskurve mit abnehmendem y' über. Zwischen Zunahme und Abnahme von y' liegt aber ein Maximum*** von y':

---

* Wegen dieser Einschränkung vgl. 2.2.

** Beim Übergang von einer Linkskurve in eine Rechtskurve muß der Kraftwagenfahrer das Steuer nach rechts „wenden".

*** Zwischen Vermögenszunahme und -abnahme liegt ein Maximum an Vermögen; zu diesem Zeitpunkt tritt eine „Wende" in der Vermögenslage ein.

Im Wendepunkt der Kurve besitzt die y'-Kurve ein Maximum, wo deren Steigung y'' gleich Null ist (während sie vorher positiv, nachher negativ ist).

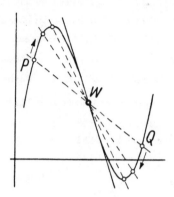

Abb. 38. Wendepunkt und Wendetangente

(2) Die Rechtskurve mit abnehmendem y' geht im Wendepunkt in eine Linkskurve mit zunehmendem y' über. Zwischen Abnahme und Zunahme liegt ein Minimum von y', und im Minimum der y'-Kurve ist $y'' = 0$ (vorher ist y'' negativ, nachher positiv).

Wenn für $x = \xi$ die zweite Ableitung $f''(\xi) = 0$ ist und beim Durchgang durch die Stelle ξ ihr Vorzeichen ändert — jedoch die erste Ableitung $f'(\xi)$ von Null verschieden ist* —, so hat die Funktion an dieser Stelle einen Wendepunkt.

In unserem Beispiel nimmt $y'' = 2\,x - 4$ den Wert 0 für $x = 2$ an (während $y' = 2^2 - 4 \cdot 2 + 3 = -1 \neq 0$ ist).

2.3 Gang der Untersuchung

Gegebene Funktion (kubische Parabel):

$$y = x^3 - 12\,x^2 + 36\,x + 16$$

Erste Ableitung (= Steigung der kub. Parabel):

$$y' = 3\,x^2 - 24\,x + 36 \text{ (Parabel)}$$

$$= 3\,(x^2 - 8\,x + 12).$$

---

* Wegen dieser Einschränkung vgl. 2.2.

Aus $x^2 - 8x + 12 = 0$ wird $x_1 = 6$ und $x_2 = 2$ $\left.\right\}$ Extreme

dazu $\qquad\qquad y_1 = 16$ und $y_2 = 48$

Zweite Ableitung ($=$ Steigung der Parabel):

$$y'' = 3(2x - 8) = 6(x - 4); \text{ (Gerade)}$$

hierin setzen wir die betreffenden Abszissen ein:

für $x = 6$ ist $y'' = 6(6 - 4) = +12$, also Minimum,

für $x = 2$ ist $y'' = 6(2 - 4) = -12$, also Maximum.

Aus $6(x - 4) = 0$ wird $x_3 = 4$, dazu $y_3 = 32$: Wendepunkt

$$\text{Maximum} \quad 2 \mid 48$$
$$\text{Wendepunkt} \quad 4 \mid 32$$
$$\text{Minimum} \quad 6 \mid 16$$

3 Sattelpunkt

Wir zeichnen die Funktion (Abb. 39)

$$y = x^3 - 9x^2 + 27x - 15$$

und bilden $y' = 3x^2 - 18x + 27 = 3(x^2 - 6x + 9) = 3(x - 3)^2$

und $\qquad y'' = 6(x - 3)$;

ferner ist $\qquad y''' = 6$.

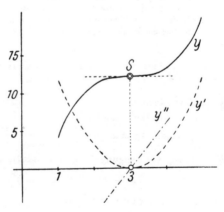

Abb. 39. Sattelpunkt

Für $x = 3$ wird sowohl y' als auch y'' gleich Null! Die Kurve hat also bei $x = 3$ eine **waagerechte Tangente** ($y' = 0$) und einen **Wendepunkt** ($y'' = 0$).

> **Ein Wendepunkt mit einer zur x-Achse parallelen Tangente heißt Sattelpunkt (S).**
> **Für einen Sattelpunkt $x = \xi$ ist $f'(\xi) = f''(\xi) = 0$, dagegen $f'''(\xi) \neq 0$.**

Anmerkung. Sowohl in einem Extrem als auch in einem Sattelpunkt ist $y' = 0$ (waagerechte Tangente). Für die Existenz eines **Extrems** ist die Bedingung $y' = 0$ zwar **notwendig**, aber **nicht hinreichend**; es muß noch die zweite Bedingung $y'' \neq 0$ erfüllt sein!

Wir haben das Auffinden der Extreme und Wendepunkte anschaulich abgeleitet. Die strenge Ableitung mit Hilfe der **Taylor**-Reihe (1) gibt uns auch noch über einige Sonderfälle Auskunft.

$$(1) \qquad f(x + h) = f(x) + h \cdot f'(x) + \frac{h^2}{2!} \cdot f''(x) + \cdots$$

(Die Reihe wird als konvergent vorausgesetzt.)

Wenn die Funktion beispielsweise ein Maximum besitzt, so ist

$$(2) \qquad f(x + h) < f(x) \quad \text{oder} \quad f(x + h) - f(x) < 0$$

für kleine positive und negative Werte von h. Da nach (1)

$$(1\,\text{a}) \qquad f(x + h) - f(x) = h \cdot f'(x) + \frac{h^2}{2!} \cdot f''(x) + \cdots,$$

so muß für ein Maximum gelten:

$$(3) \qquad h \cdot f'(x) + \frac{h^2}{2!} \cdot f''(x) + \frac{h^3}{3!} \cdot f'''(x) + \cdots < 0.$$

Wenn $f'(x)$ **nicht** gleich Null wäre, so könnten wir h so klein wählen, daß das erste Glied $h \cdot f'(x)$ größer wird als die Summe (R) aller übrigen Glieder:

$$(3\,\text{a}) \qquad h \cdot f'(x) + R < 0 \quad \text{mit} \quad R < h \cdot f'(x).$$

Dann würde aber für positives bzw. negatives h der Ausdruck (3a) einmal positiv, das andere Mal negativ; er wäre also nicht, wie gefordert wird, stets negativ. Hieraus folgt die **notwendige Bedingung**

$$(4) \qquad f'(x) = 0.$$

Ist sie erfüllt, so geht (3) über in

$$(5) \qquad \frac{h^2}{2!} \cdot f''(x) + \frac{h^3}{3!} \cdot f'''(x) + \cdots < 0.$$

Wählen wir wieder h so klein, daß $\dfrac{h^2}{2!} \cdot f''(x)$ größer als die Summe aller folgenden Glieder ist, dann ist das Vorzeichen von $\dfrac{h^2}{2!} \cdot f''(x)$ ausschlaggebend für das Vorzeichen von (5):

$$(5\,\mathrm{a}) \qquad \frac{h^2}{2!} \cdot f''(x) < 0.$$

Und da nun h^2 stets positiv ist, so muß sein:

$$(6) \qquad f''(x) < 0.$$

Für $f'(x) = 0, f''(x) < 0$ ist ein Maximum vorhanden.

Die letzte Bedingung (6) ist aber nur **hinreichend, nicht notwendig!** Wenn nämlich auch $f''(x) = 0$ ist, so folgt aus (5):

$$\frac{h^3}{3!} \cdot f'''(x) + \frac{h^4}{4!} \cdot f^{(4)}(x) + \cdots < 0,$$

oder wenn wir durch das positive h^2 dividieren:

$$(7) \qquad \frac{h}{3!} \cdot f'''(x) + \frac{h^2}{4!} f^{(4)}(x) + \cdots < 0.$$

Vergleichen wir damit den Ausdruck (3), so erscheinen hier die 3. und 4. Ableitung statt der 1. und 2. Ableitung. Die gleiche Überlegung wie oben führt zu dem Ergebnis:

Wenn außer $f'(x) = 0$ auch noch $f''(x) = 0$ ist,
so ist für $f'''(x) = 0, f^{(4)}(x) < 0$ ein Maximum vorhanden.

Entsprechend: Wenn auch noch $f^{(4)}(x) = 0$ ist,
so ist für $f^{(5)}(x) = 0, f^{(6)}(x) < 0$ ein Maximum vorhanden.

Für ein Minimum kann man die entsprechenden Überlegungen anstellen (Aufgabe für den Leser).

> **Die Funktion $f(x)$ hat bei $x = \xi$ ein Maximum (Minimum), wenn die erste nicht verschwindende Ableitung $f^{(n)}(\xi)$ von gerader Ordnung negativ (positiv) ist.**

181. Die charakteristischen Punkte der Kurve A sind zu bestimmen (Abb. 40).

$A \qquad y = x^3 (x^2 - 4x + 3)$

Nullstellen: 0; 1; 3.

$B \qquad y' = 5 x^2 (x^2 - 3,2 x + 1,8) \qquad\qquad y'(0) = 0$

Extreme: 0 (?); (0,73; 0,24) und (2,47; —11,7)

$C \qquad y'' = 20 x (x^2 - 2,4 x + 0,9) \qquad\qquad y''(0) = 0$

Wendepunkte: 0 (?); (0,47); 0,14) und (1,93; —7,2)

$\qquad\qquad y''(0,73) = -4,7$ (Max.); $y''(2,47) = + 47,7$ (Min.)

$D \qquad y''' = 60 (x^2 - 1,6 x + 0,3) \qquad\qquad y'''(0) = 18 \neq 0$

Wegen $y''' \neq 0$ ist der Nullpunkt ein Sattelpunkt.

Die Daten für die Kurven B bis D sind in der Abbildung angegeben.

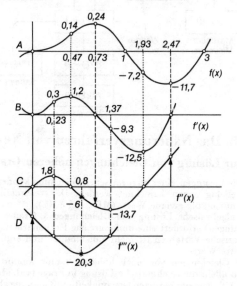

Abb. 40. $A : y = x^3 (x^2 - 4x + 3)$

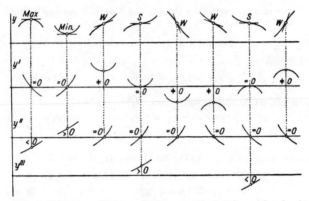

Abb. 41. Die höheren Ableitungen für Extreme, Wendepunkt und Sattelpunkt

(38) Übersicht (vgl. dazu Abb. 41)

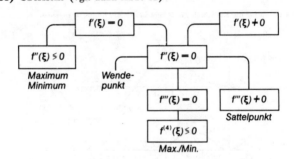

§ 18. Das Näherungsverfahren von Newton
zur Lösung von Gleichungen höheren Grades

Die Lösungen einer quadratischen Gleichung können algebraisch beliebig genau berechnet werden. Der zeichnerische Weg liefert nur mäßig genaue Werte (MR 24, § 80 ff.).

Die algebraische Lösung von Gleichungen 3. Grades (kubische Gleichungen) erfordert eine umfangreiche Rechenarbeit; auch das zeichnerische Verfahren ist recht umständlich und ergibt nur angenäherte Werte.

Für Gleichungen von noch höherem Grade kommt im allgemeinen allein die zeichnerische Lösung in Frage (vgl. aber MR 24, § 87 ff.). Wegen der geringen Genauigkeit muß man die abgelesenen Nullstellenwerte korrigieren können. Ein Verfahren hierfür stammt von Newton.

1 Formel von Newton

Wir haben aus der Wertetafel einer stetigen Funktion erkannt, daß die Ordinate des Punktes P_1 positiv, die des Punktes Q negativ ist, daß also P_1 über und Q unter der x-Achse liegt (Abb. 42). Dann ist zwischen den Abszissen von P_1 und Q eine Nullstelle (N) vorhanden.

Wir bleiben bei einem dieser Punkte stehen, etwa bei P_1, dessen Koordinaten $x_1 | y_1$ in der Wertetabelle verzeichnet sind. In P_1 legen wir die Tangente P_1B an die Kurve. Ihre Steigung finden wir

(1) aus der Ableitung $f'(x_1)$,

(2) aus dem rechtwinkligen Dreieck P_1AB, nämlich

$$\frac{P_1A}{BA} = \frac{y_1}{\delta_1}.$$

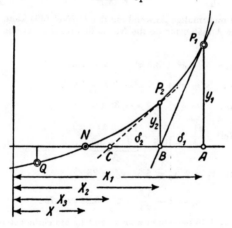

Abb. 42. Newtons Näherungsverfahren

Somit ist $f'(x_1) = \dfrac{y_1}{\delta_1}$ oder $\delta_1 = \dfrac{y_1}{f'(x_1)} = \dfrac{f(x_1)}{f'(x_1)}$.

Subtrahieren wir δ_1 von x_1 (es sei $x_1 - \delta_1 = x_2$), so ist

$$x_2 = x_1 - \frac{f(x_1)}{f'(x_1)},$$

wobei x_2 die Abszisse des Punktes B ist, die näher bei der gesuchten Nullstelle liegt.

Soll eine Nullstelle der Funktion $y = f(x)$ ermittelt werden, und ist x_1 ein in der Nähe der Nullstelle liegender Wert, so ist

$$(39) \qquad x_2 = x_1 - \frac{f(x_1)}{f'(x_1)}$$

ein besserer Näherungswert für die Nullstelle.

2 Wiederholung des Verfahrens

Um eine weitere Annäherung zu erzielen, wiederholen wir das Verfahren: Das Lot in B ergibt den Punkt P_2 der Kurve: $B P_2 = y_2 = f(x_2)$; die Steigung der Tangente in P_2 ist $f'(x_2)$, die sich auch aus dem Dreieck $P_2 B C$ ergibt:

$$f'(x_2) = \frac{f(x_2)}{\delta_2}, \quad \text{daraus} \quad \delta_2 = \frac{f(x_2)}{f'(x_2)}, \quad \text{so daß} \quad x_3 = x_2 - \frac{f(x_2)}{f'(x_2)}.$$

Durch mehrmalige Anwendung der Formel (39) kann jede gewünschte Annäherung an die Nullstelle erreicht werden.

Beispiel:

Gleichung: $\qquad x^3 + 3{,}5\, x^2 - 3\, x - 10{,}5 = 0$

Funktion: $\quad y = x^3 + 3{,}5\, x^2 - 3\, x - 10{,}5$

Ableitung: $\; y' = 3\, x^2 + 7\, x - 3$

Wertetafel:

x	0	1	2
y	$-10{,}5$	-9	$+5{,}5$

$\qquad\qquad\qquad\qquad\qquad N$

1. Schritt: $x_1 = 2$, $y_1 = 5{,}5$, $y_1' = 23$;

$$x_2 = 2 - \frac{5{,}5}{23} = 2 - 0{,}24 = \textbf{1,76}.$$

Zu $x_2 = 1{,}76$ berechnet man y_2 und y_2' am einfachsten mit dem **Horner-Schema** (MR 24, § 82): der erste Randwert ist y, der nächste Randwert ist y'.

Beweis. $\qquad$ Für $y = x^3 + a\, x^2 + b\, x + c$

ist $\qquad\qquad y' = 3\, x^2 + 2\, a\, x + b$

1	a	b	c	$\underline{\quad x}$
0	x	$x^2 + a x$	$x^3 + a x^2 + b x$	
1	$x + a$	$x^2 + a x + b$	$\underline{x^3 + a x^2 + b x + c} = y$	
0	x	$2 x^2 + a x$		
1	$2 x + a$	$\underline{3 x^2 + 2 a x + b} = y'$		

2. Schritt:

1	3,5	− 3	− 10,5	$x = 1,76$
0	1,76	9,26	11,02	
1	5,26	6,26	0,52 $= y$	
0	1,76	12,36		
1	7,02	18,62 $= y'$		

$$x = 1,76 - \frac{0,52}{18,62} = 1,76 - 0,028 = \mathbf{1,732}\,.$$

Wenn eine Genauigkeit auf 2 oder 3 Dezimalen nicht ausreicht, wird das Verfahren nochmals wiederholt.

3. Schritt:

	1	3,5	− 3	− 10,5	1,732
	0	1,732	9,062	10,499	
(*)	1	5,232	6,062	− 0,001	
	0	1,732	12,062		
	1	6,964	18,124		

$$x_4 = 1,732 - \frac{-0,001}{18,124} = 1,732 + 0,00005 = \mathbf{1,73205}\,.$$

Nach dreimaliger Anwendung von Newtons Formel ist die Lösung auf 5 Dezimalen genau; sie ist übrigens gleich $\sqrt{3}$.

Wie in MR 24, § 86 dargelegt wurde, bekommt man die beiden anderen Lösungen einer kubischen Gleichung aus der quadratischen „Restgleichung", deren Koeffizienten aus Zeile 3 des Horner-Schemas (*) abgelesen werden können, also

$$x^2 + 5,232\,x + 6,062 = 0$$

$$x = -\,2,616 \pm 0,884$$

$$x = -\,\mathbf{1,732} \text{ und } x = -\,\mathbf{3,5.}$$

Die kubische Gleichung hat also die Lösungen 1,732; − 1,732; − 3,5. Man mache die Vieta-Probe (MR 24, § 86).

Anmerkungen. (1) Die einzelnen Multiplikationen im Horner-Schema erledigt man mit Kreuzmultiplikation (MR 1) oder mit abgekürzter Multiplikation (MR 2).

(2) Im allgemeinen genügt es, beim ersten Schritt auf 1, beim zweiten Schritt auf 2 oder 3 Dezimalen genau zu rechnen.

(3) Die Genauigkeit nach dem zweiten Schritt beträgt im allgemeinen 2 bis 3 Dezimalen.

182. $\qquad x^3 - 12\,x^2 + 21\,x - 11 = 0.$

Wenn man hier nach einer Nullstelle sucht, so findet man schließlich $10 < x < 11$. Man müßte also 11 Tabellenwerte berechnen, ehe man mit dem Newtonschen Verfahren beginnen könnte. Um dies zu vermeiden, ermittelt man zweckmäßig zuerst die Extreme der Funktion.

$$y = x^3 - 12\,x^2 + 21\,x - 11$$
$$y' = 3\,x^2 - 24\,x + 21 = 3\,(x^2 - 8\,x + 7) = 0\,,$$

daraus $\qquad x = \quad 7 \text{ und } x = \quad 1\,,$

dazu $\qquad y = -109 \text{ und } y = -1\,.$

Da beide Extreme $7\,|-109$ und $1\,|-1$ unter der x-Achse liegen, so ist nur eine reelle Lösung vorhanden, und zwar ist $x > 7$. (Zeichnung!)

Wir probieren etwa mit $x = 9$ oder 10:

$x = 9$	$y = -65$	$y' = 48$	$x = 10$	$y = -1$	$y' = 81$
10,3	25,1	92,1	10,012	schon nach dem	
10,03	1,44	82,1		zweiten Schritt!	
10,012					

183. $\qquad x^3 - 12\,x^2 + 20\,x + 102 = 0$

$y' = 3\,x^2 - 24\,x + 20 = 0\,,$ daraus $x = 4 \pm 3{,}05$.

Extreme: $\approx 7\,|\approx -3$ und $\approx 1\,|\approx 111$.

In der Nähe des Minimums liegen offenbar 2 Nullstellen; die eine ist < 7, die andere > 7. Wir probieren mit $x = 7$:

$$x = 7\,, \quad y = -3\,, \quad y' = -1\,; \qquad x = 7 - \frac{3}{1} = 4\,;$$

$$x = 4\,, \quad y = 54\,, \qquad y' = -28\,; \qquad x = 4 + \frac{54}{28} \approx 6\,.$$

Die Abszisse springt von 7 auf 4 und dann auf 6 über.

Hätten wir sofort mit 6 oder 8 probiert, so wären wir schneller zum Ziel gekommen:

$x = 6$	$y = 6$	$y' = -16$	$x = 8$	$y = 6$	$y' = 20$
6,4	0,64	−10,7	7,7	1,05	13,07
6,46			7,62	0,08	11,31
			7,61		

$$x^2 - 5{,}54 - 15{,}79 = 0 \qquad\qquad x^2 - 4{,}39\,x - 13{,}41 = 0$$
$$x = 7{,}61 \text{ und } x = -2{,}07 \qquad x = 6{,}46 \text{ und } x = -2{,}07$$

Der Sprung von 7 nach 4 erklärt sich dadurch, daß im Punkt $7\,|-3$ in der Nähe des Minimums die Tangente eine noch verhältnismäßig geringe Steigung (-1) hat. Hieraus ergibt sich die Forderung, möglichst nicht mit einem Wert, der in der Nähe der Abszisse eines Extrems liegt, in das Horner-Schema zu gehen!

184. Die Lösungen der Gleichungen sind zu bestimmen:

a) $3 x^3 - 31 x^2 + 63 x - 27 = 0$ 0,59; 1,96;   7,78.

b) $x^3 + 4 x^2 - 16 x - 32 = 0$ $3,42; - 1,61; - 5,81.$

185. Welche reelle Lösung haben die Gleichungen?

a) $x^3 - 6 x^2 + 18 x - 18 = 0$ d) $x^3 - 6 x^2 - 15 x - 44 = 0$

b) $x^3 - 2 x^2 + x - \dfrac{2}{9} = 0$ e) $x^3 + 12 x^2 + 12 x + 16 = 0$

c) $x^3 - 6 x^2 + 3 x - 2 = 0$ f) $8 x^3 + 57 x^2 + 96 x + 76 = 0$

Lösungen: 1,67; 1,40; 5,52; 8,41; $- 11,05; - 5,15.$

186. Welche Lösungen (je 2 reelle und 2 komplexe) haben die Gleichungen:

a) $x^4 - 8 x^3 - 24 x^2 + 32 x - 112 = 0$

b) $5 x^4 - 100 x^3 + 661 x^2 - 4500 x + 22500 x = 0$

Lösungen: a) 10,16; $- 3,59;$ b) 7,36; 13,19.

187. Ein hohler Kasten aus Aluminium (Dichte $\varrho = 2,7$) mit den äußeren Abmessungen $a = 6$ dm, $b = 5$ dm, $h = 4$ dm sinkt in Wasser $t = 3,6$ dm tief ein. Wie dick $\left(\dfrac{1}{2} x\right)$ ist die Wandung?

Nach dem Archimedischen Gesetz ist das Gewicht (G) eines schwimmenden Körpers gleich dem Gewicht (W) des verdrängten Wassers.

$V = a \cdot b \cdot h - (a - x)(b - x)(h - x) = x^3 - 15 x^2 + 74 x$

$G = V \cdot \varrho = 2,7 \ V \ ; \ W = a \cdot b \cdot t = 108 \ ,$ also

$2,7 \ V = 108$ oder $V = 40$, somit

$x^3 - 15 x^2 + 74 x - 40 = 0$

x	0	1
y	$- 40$	20

Durch lineare Interpolation erhalten wir $x \approx \dfrac{2}{3}$, gehen also mit 0,6 oder 0,7 in das Horner-Schema und finden $x = 0,614$. (Die beiden anderen Lösungen sind komplex.)

Die Wandstärke beträgt $\dfrac{1}{2} x = 0,307$ dm $= 30,7$ mm.

188. Wie hoch (h) steht 1 Liter Flüssigkeit in einer halbkugelförmigen Schale von $r = 1$ dm innerem Radius?

Volumen des Kugelabschnitts $= \dfrac{1}{3} \pi h^2 (3\,r - h)$

Aus $\dfrac{1}{3} \pi h^2 (3\,r - h) = 1$ wird für $r = 1$:

$$h^3 - 3\,h^2 + 0,955 = 0$$

Die Halbkugel hat $\left(\text{wegen } \dfrac{1}{3} \pi \approx 1\right)$ das Volumen $\dfrac{2}{3} \pi r^3 \approx 2$, so daß $h > \dfrac{1}{2}$ sein muß. Wir probieren mit $h = 0,6$. Da die Unbekannte in der 1. Potenz nicht vorkommt, ist an der betreffenden Stelle des Horner-Schemas eine Null zu setzen.

1	-3	**0**	0,955	$\lfloor 0,6$
0	0,6	$-1,44$	$-0,864$	
1	$-2,4$	$-1,44$	$\lfloor 0,091$	
0	0,6	$-1,08$		
1	$-1,8$	$\lfloor -2,52$		$h = 0,635$

Das Wasser steht in der Schale 6,35 cm hoch. (Die beiden anderen Lösungen der Gleichung 2,885 und $-0,52$ kommen hier nicht in Betracht, da $h < 1$ sein muß und eine negative Lösung keinen Sinn hat.)

189. Wie hoch (h) steht eine Flüssigkeit in einer zur Hälfte gefüllten Halbkugelschale ($r = 1$ dm)?

Aus $\dfrac{1}{3} \pi r^3 = \dfrac{1}{3} \pi h^2 (3\,r - h)$ wird $h^3 - 3\,h^2 + 1 = 0$

$$h = 0,653 \text{ dm.}$$

190. Welchen Tiefgang (t) hat eine Kugel ($R = 1$ dm) für die Dichten $\varrho_1 = \dfrac{1}{3}$ und $\varrho_2 = \dfrac{2}{3}$?

Aus $\dfrac{4}{3} \pi R^3 \varrho = \dfrac{\pi}{3} t^2 (3\,R - t)$ wird $t^3 - 3\,t^2 + 4\,\varrho = 0$

$$t_1 = 0,77 \text{ dm} \qquad t_2 = 1,23 \text{ dm}$$

(Beachte: Für $\varrho_1 + \varrho_2 = 1$ ist $t_1 + t_2 = 2\,R$.)

§ 19. Unbestimmte Ausdrücke

Unbestimmte Ausdrücke sind uns schon wiederholt begegnet, z. B. in § 2, 15 (hebbare Unstetigkeit), in § 3, 5 Anm. (Ableitung der Potenzfunktion), in § 8, 32. Hier soll eine Regel für die Ermittlung unbestimmter Ausdrücke abgeleitet werden.

1 Der unbestimmte Ausdruck $\frac{0}{0}$

Beispiel:

Welchen Wert nimmt $y = f(x) = \dfrac{\sin x}{x}$ für $x = 0$ an?

$$f(0) = \frac{\sin 0}{0} = \frac{0}{0},$$

das ist ein unbestimmter Ausdruck.

2 Formel

Es liege eine differenzierbare gebrochene Funktion vor:

$$f(x) = \frac{\varphi(x)}{\Psi(x)};$$

für $x = a$ werde $\qquad f(a) = \dfrac{\varphi(a)}{\Psi(a)} = \dfrac{0}{0}.$

Für $x = a + h$ ist $\qquad f(a + h) = \dfrac{\varphi(a + h)}{\Psi(a + h)}.$

2.1 Erste Art

Wir entwickeln $\varphi(a + h)$ und $\Psi(a + h)$ nach der TR:

$$f(a+h) = \frac{\varphi(a) + h \cdot \varphi'(a) + \dfrac{h^2}{2!} \cdot \varphi''(a) + \cdots}{\Psi(a) + h \cdot \Psi'(a) + \dfrac{h^2}{2!} \cdot \Psi''(a) + \cdots}$$

Da $\varphi(a) = 0$ und $\Psi(a) = 0$, so ist

$$f(a + h) = \frac{h \cdot \varphi'(a) + \dfrac{h^2}{2!}\varphi''(a) + \cdots}{h \cdot \Psi'(a) + \dfrac{h^2}{2!}\Psi''(a) + \cdots}$$

Wir klammern im Zähler und Nenner h aus und kürzen dann durch h:

$$f(a+h) = \frac{\varphi'(a) + \dfrac{h}{2!} \cdot \varphi''(a) + \dfrac{h^2}{3!} \cdot \varphi'''(a) + \cdots}{\Psi'(a) + \dfrac{h}{2!} \cdot \Psi''(a) + \dfrac{h^2}{3!} \cdot \Psi'''(a) + \cdots}$$

Für $h = 0$ verschwinden im Zähler und Nenner alle Glieder außer jeweils dem ersten, und es wird

$$\lim_{x=a} f(x) = \frac{\varphi'(a)}{\Psi'(a)}.$$

2.2 Zweite Art

Diese Formel können wir auch geometrisch gewinnen (Abb. 43).

Auf $y = \varphi(x)$ liegen $A(a \mid 0)$ und $B(x \mid p)$,
auf $y = \Psi(x)$ liegen $A(a \mid 0)$ und $C(x \mid q)$.

Beide Kurven schneiden sich in A. Zeichnen wir die beiden Sekanten AB und AC, so ist

$$p = (x - a)\tan\alpha, \quad q = (x - a)\tan\beta,$$

also

$$f(x) = \frac{\varphi(x)}{\Psi(x)} = \frac{p}{q} = \frac{\tan\alpha}{\tan\beta}.$$

Wenn $x \longrightarrow a$ strebt, dann gehen die beiden Sekanten in die Tangenten im Punkt A über:

$$\lim_{x \to a} \tan\alpha = \varphi'(a) \quad \text{und} \quad \lim_{x \to a} \tan\beta = \Psi'(a).$$

Dann ist

$$\lim_{x=a} f(x) = \frac{\varphi'(a)}{\Psi'(a)} \text{ (wie oben)}.$$

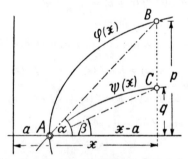

Abb. 43. Unbestimmter Ausdruck

Die folgenden unbestimmten Ausdrücke sollen mit der Formel berechnet werden.

191. $\quad f(x) = \dfrac{\sin x}{x}; \quad \varphi'(x) = \cos x, \quad \Psi'(x) = 1$

$$\lim_{x=0} f(x) = \frac{\cos 0}{1} = \frac{1}{1} = 1 \text{ (vgl. § 8, I)}$$

192.
$$f(x) = \frac{x^3 - 8}{x - 2} \; ; \; \varphi'(x) = 3x^2, \; \Psi'(x) = 1$$

$$\lim_{x=2} f(x) = \frac{3 \cdot 2^2}{1} = 12$$

193. $f(x) = \dfrac{a^x - b^x}{x} \; ; \; \varphi'(x) = a^x \cdot \ln a - b^x \cdot \ln b \,*, \; \Psi'(x) = 1$

$$\lim_{x=0} f(x) = \frac{a^0 \cdot \ln a - b^0 \cdot \ln b}{1} = \ln a - \ln b = \ln \frac{a}{b}.$$

Anmerkung. Es sei hier nochmals betont, daß z.B. die Funktion 193 für $x = 0$ **keinen** Funktionswert besitzt, also dort eine **Lücke** hat. Der Wert $\ln \dfrac{a}{b}$ ist ein **Grenzwert**, dem die Funktion zustrebt, wenn man sich von links oder rechts der Null nähert. Da Zähler und Nenner differenzierbar sind, läßt sich dieser Grenzwert finden, so daß die Lücke nachträglich ausgefüllt werden kann.

Beispiel: $a = 3$, $b = 2$ $\left(\ln \dfrac{3}{2} = 0,404 \right)$.

x	-1	$-\frac{1}{2}$	$-\frac{1}{4}$	$-\frac{1}{10}$	0	$\frac{1}{10}$	$\frac{1}{4}$	$\frac{1}{2}$	1
$f(x)$	0,167	0,311	0,324	0,370	**0,404**	0,443	0,508	0,636	1,000

194.
$$f(x) = \frac{x^3 - ax^2 - a^2 x + a^3}{2x^3 - 3ax^2 + a^3} \; ; \quad f(a) = \frac{0}{0}$$

Mit der Formel wird

$$g(x) = \frac{3x^2 - 2ax - a^2}{6x^2 - 6ax} : \qquad g(a) = \frac{0}{0}$$

Da $g(x) = \dfrac{\varphi'(x)}{\Psi'(x)}$ für $x = a$ auch noch unbestimmt ist, wendet man auf $g(x)$ die Formel erneut an:

$$h(x) = \frac{6x - 2a}{12x - 6a}, \qquad \lim_{x=a} h(x) = \frac{4}{6} = \frac{2}{3}$$

Der Wert $\dfrac{2}{3}$ ist von a unabhängig.

195. Das Ergebnis der vorigen Aufgabe ist für $a = 1$ zu bestätigen.

a	Zähler	Nenner	$f(a)$	Mittelwert
0,9	0,019	0,029	0,6552	
1,1	0,021	0,031	0,6774	0,6663

---

* nach Formel (22).

2 Der unbestimmte Ausdruck $\frac{\infty}{\infty}$

In $f(x) = \dfrac{\ln x}{x}$ entsteht für $x = \infty$ der unbestimmte Ausdruck

$$\frac{\ln \infty}{\infty} = \frac{\infty}{\infty}$$

Es werde in $\qquad f(x) = \dfrac{\varphi(x)}{\Psi(x)}$

für $x = a$: $\qquad f(a) = \dfrac{\varphi(a)}{\Psi(a)} = \dfrac{\infty}{\infty}$

Wir schreiben die Funktion in der Form

$$f(x) = \frac{\dfrac{1}{\Psi(x)}}{\dfrac{1}{\varphi(x)}},$$

die für $x = a$ den unbestimmten Wert $\dfrac{0}{0}$ annimmt. Um $\lim\limits_{x=a} f(x)$ zu bestimmen, müssen wir nach der obigen Regel den Zähler $\dfrac{1}{\Psi(x)}$ und den Nenner $\dfrac{1}{\varphi(x)}$ differenzieren*:

$$\lim_{x=a} f(x) = \frac{-\dfrac{\Psi'(a)}{[\Psi(a)]^2}}{-\dfrac{\varphi'(a)}{[\varphi(a)]^2}} = \left[\frac{\varphi(a)}{\Psi(a)}\right]^2 \cdot \frac{\Psi'(a)}{\varphi'(a)}$$

Der Ausdruck in der eckigen Klammer ist aber nichts anderes als $\lim\limits_{x=a} f(x)$, so daß

$$\lim_{x=a} f(x) = [\lim_{x=a} f(x)]^2 \cdot \frac{\Psi'(a)}{\varphi'(a)}$$

oder $\qquad \dfrac{\varphi'(a)}{\Psi'(a)} = \lim\limits_{x=a} f(x)$;

das ist aber dieselbe Formel, die auch für den Fall $\dfrac{0}{0}$ gilt.

---

* Nach der Kettenregel: $y = \dfrac{1}{\varphi(x)} = \dfrac{1}{z}$; $\dfrac{dy}{dz} = -\dfrac{1}{z^2}$, $\dfrac{dz}{dx} = \varphi'(x)$, also

$y' = -\dfrac{1}{z^2} \cdot \varphi'(x) = -\dfrac{\varphi'(x)}{[\varphi(x)]^2}$

Wenn die Funktion $f(x) = \dfrac{\varphi(x)}{\Psi(x)}$ für $x = a$ den unbestimmten Wert $\dfrac{0}{0}$ oder $\dfrac{\infty}{\infty}$ annimmt, so läßt sich der Grenzwert, dem die Funktion für $x = a$ zustrebt, berechnen aus

(40) $$\lim_{x = a} f(x) = \frac{\varphi'(a)}{\Psi'(a)}.$$

Beachte: Zähler und Nenner werden einzeln differenziert, erst dann wird $x = a$ gesetzt! (Die Formel darf nicht mit der Quotientenregel verwechselt werden.)

196. $f(x) = \dfrac{\ln x}{x}$ für $x \to \infty$; $\varphi'(x) = \dfrac{1}{x}$, $\Psi'(x) = 1$

$$\lim_{x \to \infty} f(x) = \frac{1}{\infty} = 0^*$$

3 Der unbestimmte Ausdruck $0 \cdot \infty$

In $f(x) = x \ln\left(1 + \dfrac{1}{x}\right)$ entsteht für $x = \infty$ der unbestimmte Ausdruck $\infty \cdot \ln 1 = \infty \cdot 0$.

Es werde in $\qquad f(x) = \varphi(x) \cdot \Psi(x)$
für $x = a \qquad f(a) = \varphi(a) \cdot \Psi(a) = 0 \cdot \infty$.

Wir schreiben die Funktion in der Form

$$f(x) = \frac{\varphi(x)}{\dfrac{1}{\Psi(x)}},$$

die für $x = a$ den unbestimmten Wert $\dfrac{0}{0}$ annimmt. Nach (40) wird

(40a) $$\lim_{x = a} f(x) = \frac{\varphi'(a)}{-\dfrac{\Psi'(a)}{[\Psi(a)]^2}} = -[\Psi(a)]^2 \cdot \frac{\varphi'(a)}{\Psi'(a)}$$

---

* Für den Zehnerlogarithmus erhalten wir folgende Wertetafel:

x	10^3	10^4	10^6	10^∞
$\log x : x$	0,003	0,0004	0,000006	$\cdots$ 0

197.
$$f(x) = x \cdot \ln\left(1 + \frac{1}{x}\right) = \Psi(x) \cdot \varphi(x);$$

$$\varphi'(x) = \frac{-\dfrac{1}{x^2}}{1 + \dfrac{1}{x}} = -\frac{1}{x(x+1)} \; ; \quad \Psi'(x) = 1$$

$$\lim_{x \to \infty} f(x) = -x^2\left(-\frac{1}{x(x+1)}\right) = \frac{x}{x+1} \;\longrightarrow\; 1^*.$$

§ 20. Normale und Enveloppe

1 Die Normale einer Kurve

Unter der Normalen versteht man die Senkrechte zur Kurventangente im Berührungspunkt (Abb. 44). Als „Länge" (n) der Normalen gilt der Abstand des Tangentenberührungspunktes vom Schnittpunkt der Normalen mit der x-Achse, also $n = PN$.

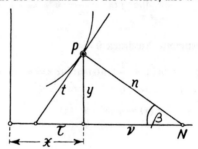

Abb. 44. Die Normale

Aus $\sin \beta = \dfrac{y}{n}$ wird $n = \dfrac{y}{\sin \beta} = y\sqrt{1 + \cot^2 \beta}$.

Da die Steigung der Normalen der negativ-reziproke Wert der Tangentensteigung y' ist, also

$$\tan \beta = -\frac{1}{y'} \quad \text{oder} \quad \cot \beta = -y', \text{ so wird}$$

(41)
$$n = y\sqrt{1 + y'^2}.$$

* $x \cdot \ln\left(1 + \dfrac{1}{n}\right) = \ln\left(1 + \dfrac{1}{n}\right)^x$; für $x \to \infty$ erhält man $\ln e = 1$.

2 Die Enveloppe einer Kurvenschar

Die Enveloppe oder Hüllkurve ist diejenige Kurve, die eine Kurvenschar berührend umhüllt.

198. Die P a r a b e l (Abb. 45). Man verbindet einen festen Punkt F auf der y-Achse ($OF = b$) mit einem beliebigen Punkt P auf der x-Achse ($OP = \xi$) und errichtet auf PF in P die Senkrechte, die die y-Achse in Q schneidet. Welche Kurve hüllen die Geraden PQ ein, wenn P auf der x-Achse wandert?

Gegeben ist b, veränderlich sind $OP = \xi$ und $OQ = \eta$.
Die Gleichung der Geraden PQ ist

$$y = x \tan \varphi - \eta,$$

wobei $\tan \varphi = \dfrac{\xi}{b}$ und $\xi^2 = b \cdot \eta$ (Höhensatz), also $\eta = \dfrac{\xi^2}{b}$ ist:

(I) $$y = \frac{\xi}{b} x - \frac{\xi^2}{b}.$$

Für einen Nachbarpunkt P_1 mit $OP_1 = \xi_1$ lautet die Gleichung der Geraden

(I a) $$y = \frac{\xi_1}{b} x - \frac{\xi_1^2}{b}.$$

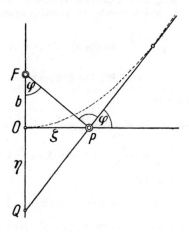

Abb. 45. Die Parabel als Enveloppe

Kombinieren wir die beiden Gleichungen, so erhalten wir die Koordinaten des Schnittpunktes beider Geraden:

$$0 = \frac{\xi_1 - \xi}{b} x - \frac{\xi_1{}^2 - \xi^2}{b},$$

daraus $\qquad\qquad x = \xi_1 + \xi.$

Liegen die Punkte P_1 und P beliebig nahe ($\xi_1 \rightarrow \xi$), so wird

(II) $\qquad\qquad x = 2\,\xi$ und $y = \dfrac{\xi^2}{b}$.

Dies sind die Koordinaten des Schnittpunktes zweier beliebig naher Geraden, also die Koordinaten eines Punktes der Hüllkurve.

Um ihre Gleichung zu finden, müssen wir aus (II) die Veränderliche ξ beseitigen:

$$\xi = \frac{1}{2}\, x, \text{ also } y = \left(\frac{1}{2}\, x\right)^2 : b$$

(III) $\qquad\qquad y = \dfrac{1}{4\,b}\, x^2$

Dies ist die Gleichung einer **Parabel**. Ihr Brennpunkt ist der feste Punkt F^*.

Anmerkung. Anstatt zu P einen Nachbarpunkt P_1 anzunehmen und die beiden Geraden zum Schnitt zu bringen, kann man auch die Gleichung der Hüllgeraden (I) nach der Veränderlichen ξ differenzieren (x, y, b sind dabei als konstant anzusehen):

$$0 = \frac{x}{b} - \frac{2\,\xi}{b}, \text{ daraus } x = 2\,\xi \text{ (wie oben)}.$$

199. Die **Astroide** (Abb. 46). Die Endpunkte einer Strecke von der Länge r gleiten auf den Koordinatenachsen. Welche Kurve hüllt die Strecke ein?

Die Gleichung der Geraden r ist $\dfrac{x}{a} + \dfrac{y}{b} = 1$, hier:

(I) $\qquad \dfrac{x}{r \cdot \cos\alpha} + \dfrac{y}{r \cdot \sin\alpha} = 1$ oder kurz $\dfrac{x}{o} + \dfrac{y}{i} = r$

Wir differenzieren nach α:

$$\frac{x \cdot i}{o^2} - \frac{y \cdot o}{i^2} = 0 \text{ oder } x \cdot i^3 = y \cdot o^3, \text{ also } \tan^3\alpha = \frac{y}{x}$$

---

* $x^2 = 4\,b\,y$; durch Spiegelung an der 45°-Linie: $y^2 = 4\,b\,x \equiv 2\,p\,x$, also $p = 2\,b$, Brennweite $\frac{1}{2}\,p = b$.

Abkürzungen: $x = u^3$; $y = v^3$; $u^2 + v^2 = s^2$

$\dfrac{1}{i^2} = 1 + \dfrac{1}{\tan^2\alpha} = 1 + \dfrac{v^2}{u^2} = \dfrac{s^2}{u^2}$, also $\dfrac{1}{i} = \dfrac{s}{u}$ und $\dfrac{1}{o} = \dfrac{s}{v}$

In (I) eingesetzt: $(u^2 + v^2)\, s = s^3 = r$ oder $u^2 + v^2 = r^{2/3}$

Astroide $\qquad\qquad x^{2/3} + y^{2/3} = r^{2/3}$

Die Scheitel A liegen bei $x = y = \pm\dfrac{1}{4}\, r\sqrt{2}$ mit $OA = \dfrac{1}{2}\, r$

200. Der Krümmungsradius der Astroide

$$y' = -\left(\frac{y}{x}\right)^{1/3}; \; y'^2 = \left(\frac{y}{x}\right)^{2/3}; \; 1 + y'^2 = \left(\frac{r}{x}\right)^{2/3}; \; (1 + y'^2)^{3/2} = \frac{r}{x};$$

$$y'' = \frac{1}{3}\left(\frac{r^2}{x^4\, y}\right)^{1/3}$$

Mit den Formeln (33) erhält man

$$\xi = x + 3\,(x\,y^2)^{1/3}; \quad \eta = y + 3\,(x^2\,y)^{1/3}; \quad \varrho = 3\,(x\,y\,r)^{1/3}$$

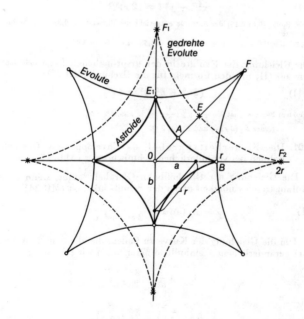

Abb. 46. Die Astroide mit Evolute

Wertetafel ($r = 1$ dm)

Astroide		Evolute	
$(x; y)$	ϱ	$(\xi; \eta)$	
$\frac{1}{2}\sqrt{2}; \ \frac{1}{4}\sqrt{2}$	1,5	$\sqrt{2}; \ \sqrt{2}$	
0,6; 0,15	1,33	1,31; 1,28	
0,9; 0,04	0,98	1,22; 0,97	
0,95; 0,01	0,68	1,08; 0,62	
1; 0	0	1; 0	

$OA = \dfrac{1}{2} r; \quad OB = r$ $\qquad\qquad OE = r; \quad OF = 2\,r$

Die **Evolute** der Astroide ist auch eine Sternkurve. Dreht man sie um 45° (in Abb. 45° punktiert), so erscheint sie als die im Maßstab 1 : 2 linear vergrößerte Astroide (vgl. die unterste Zeile der Tabelle). Die gedrehte Evolute hat also die Gleichung

(II) $\qquad\qquad x^{2/3} + y^{2/3} = (2\,r)^{2/3}$

Dem Punkt (0,6; 0,15) der Astroide entspricht der Punkt (1,2; 0,3) der gedrehten Evolute:

$1,2^{\,2/3} + 0,2^{\,2/3} = 2^{\,2/3}$ oder $1,13 + 0,45 = 1,58$, also $1,58^3 = 3,94 \approx 4$.

Die Gleichung der Evolute in der ursprünglichen Lage erhalten wir aus (II) mit den Formeln für die Drehung (MR 27):

(III) $\qquad\qquad (\xi^{2/3} + \eta^{2/3})^3 = 4\,r^2$

Probe: Für $\xi = \eta$ ist $E\left(\dfrac{1}{2}\,r\sqrt{2}; \dfrac{1}{2}\,r\sqrt{2}\right)$, also $OE = r$;

ferner $F_2\,(2\,r;\ 0)$ und $F_1\,(0;\ 2\,r)$.

201. Die **Sicherheitsparabel** als Enveloppe der Geschoßbahnen bei veränderlichen Schußwinkel α (Abb. 47).

Die Gleichung der Geschoßbahn (Parabel) lautet, wenn c die Anfangsgeschwindigkeit und α der Schußwinkel ist (MR 34)

(I) $\qquad\qquad y = x \cdot \tan\alpha - \dfrac{g}{2\,c^2 \cdot \cos^2\alpha}\,x^2$

Um die Gleichung der Kurve zu finden, die alle Schußparabeln bei veränderlichem α einhüllt, differenzieren wir (I) nach α:

$$0 = x\,\frac{1}{o^2} - \frac{g\,x^2}{2\,c^2}\,\frac{2\,i}{o^3}$$

$$0 = \frac{x}{o^2}\left(1 - \frac{g\,x}{c^2}\,\tan\alpha\right)$$

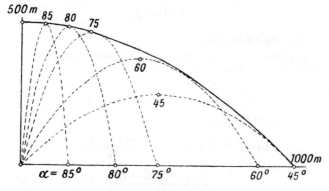

Abb. 47. Die Sicherheitsparabel

Aus
$$0 = 1 - \frac{g\,x}{c^2}\tan\alpha \quad \text{wird}$$

(II)
$$\tan\alpha = \frac{c^2}{g\,x}$$

Wir berechnen noch

(III)
$$\frac{1}{\cos^2\alpha} = 1 + \tan^2\alpha = 1 + \frac{c^4}{g^2 x^2}$$

und setzen die Werte von (II) und (III) in (I) ein:

$$y = x\,\frac{c^2}{g\,x} - \frac{g\,x^2}{2\,c^2}\left(1 + \frac{c^4}{g^2 x^2}\right) = \frac{c^2}{g} - \frac{g\,x^2}{2\,c^2} - \frac{c^2}{2\,g}$$

$$y = \frac{c^2}{2\,g} - \frac{g}{2\,c^2}\,x^2\,.$$

Die Hüllkurve ist eine Parabel. Ihr Maximum $0\left|\dfrac{c^2}{2\,g}\right.$ ist die Steighöhe des Geschosses für $\alpha = 90°$, ihre Nullstellen $\pm\dfrac{c^2}{g}\left|0\right.$ sind die Wurfweite für $\alpha = 45°$. Die „Sicherheitsparabel" wird allein durch die Geschwindigkeit c bestimmt: Alle Geschoßbahnen liegen bei gegebenem c innerhalb der von der Sicherheitsparabel abgegrenzten Ebene bzw. innerhalb des von einem Paraboloid begrenzten Raumes.

Anhang

1 Der Binomische Satz

Der Binomische Satz gibt an, wie ein Binom potenziert wird (MR 23, § 34). Bekannt als Formeln sind

$$(a + b)^2 = a^2 + 2\,ab + b^2$$
$$(a + b)^3 = a^3 + 3\,a^2b + 3\,ab^2 + b^3$$

Für die n^{te} Potenz ist

$$\boldsymbol{(a + b)^n = a^n + n \cdot a^{n-1}\,b + \frac{n\,(n-1)}{2!}\,a^{n-2}\,b^2 +}$$

$$+ \frac{n\,(n-1)\,(n-2)}{3!}\,a^{n-3}\,b^3 + \cdots + b^n$$

mit fallenden Potenzen von a (von a^n bis a^0) und steigenden Potenzen von b (von b^0 bis b^n), die mit gewissen, symmetrisch angeordneten Koeffizienten multipliziert sind.

Beweis durch vollständige Induktion.

1. Schritt: Die Behauptung ist für $n = 3$ richtig, denn

$$\frac{3 \cdot 2}{1 \cdot 2} = 3\,, \qquad \frac{3 \cdot 2 \cdot 1}{1 \cdot 2 \cdot 3} = 1$$

2. Schritt: Wir nehmen an, die Behauptung sei für ein endliches n bewiesen, und zeigen, daß sie dann auch für $n + 1$ gilt.

Zu diesem Zweck bilden wir $(a + b)^{n+1} = (a + b)^n(a + b)$, indem wir alle obigen Glieder mit a und mit b multiplizieren und dabei gleiche Potenzen untereinander schreiben:

a^{n+1}	$a^n b$	$a^{n-1}b^2$	$a^{n-2}b^3$	$\cdots$	ab^n	b^{n+1}
1	n	$\dfrac{n\,(n-1)}{2!}$	$\dfrac{n\,(n-1)\,(n-2)}{3!}$		1	
	1	n	$\dfrac{\dot{n}\,(n-1)}{2!}$		n	1
1	$n+1$	$\dfrac{(n+1)\,n}{2!}$	$\dfrac{(n+1)\,n\,(n-1)}{3!}$		$n+1$	1

Nach der Addition ergibt sich in der Tat für die $(n+1)^{te}$ Potenz das gleiche Koeffizientengesetz wie für die n^{te} Potenz.

3. Schritt: Da der Binomische Satz für $n = 3$ richtig ist, so ist er auch für die vierte Potenz und damit für jede Potenz gültig (für ganzzahliges und positives n).

Vgl. auch MR 34.

2 Partialbruchzerlegung

Der Bruch $\dfrac{n}{(2n-1)(2n+1)(2n+3)}$ soll in eine Summe von

3 Brüchen $\dfrac{A}{2n-1} + \dfrac{B}{2n+1} + \dfrac{C}{2n+3}$ zerlegt werden. Welche

Zähler haben die drei Brüche? — Wir machen die Brüche gleichnamig und erhalten als Zähler

$$A(2n+1)(2n+3) + B(2n-1)(2n+3)+$$
$$+ C(2n-1)(2n+1)$$
$$= 4(A+B+C)n^2 + 4(2A+B)n + (3A-3B-C),$$

der gleich dem Zähler n des gegebenen Bruches ist. Daraus gewinnen wir 3 Gleichungen:

$$4(A+B+C)n^2 = 0 \quad \text{oder} \quad A + B + C = 0$$
$$4(2A+B)n = n \quad \text{oder} \quad 2A + B = \frac{1}{4}$$
$$\text{und} \quad 3A - 3B - C = 0$$

Man findet leicht $A = \dfrac{1}{16}$, $B = \dfrac{1}{8}$, $C = -\dfrac{3}{16}$, also

$$\frac{1}{16}\left(\frac{1}{2n-1} + \frac{2}{2n+1} - \frac{3}{2n+3}\right)$$

Für $n = 5$ ist $\quad \dfrac{5}{9 \cdot 11 \cdot 13} \equiv \dfrac{1}{16}\left(\dfrac{1}{9} + \dfrac{2}{11} - \dfrac{3}{13}\right)$

3 Einteilung der Funktionen

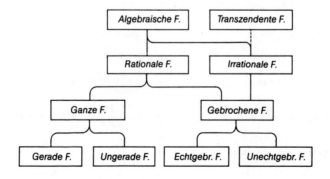

4 Formeln und Regeln

(1) $\quad y = x^n$ $\qquad\qquad\qquad y' = n \cdot x^{n-1}$

(1 a) $\quad y = \dfrac{1}{x^n} = x^{-n}$ $\qquad\qquad y' = -n \cdot x^{-n-1} = -\dfrac{n}{x^{n+1}}$

(1 b) $\quad y = \sqrt[m]{x^n} = x^{n/m}$ $\qquad\quad y' = \dfrac{n}{m} \cdot x^{\frac{n}{m}-1}$

(1 c) $\quad y = \sqrt{x}$ $\qquad\qquad\qquad y' = \dfrac{1}{2\sqrt{x}}$

(2) $\quad y = c \cdot f(x)$ $\qquad\qquad\quad y' = c \cdot f'(x)$

(3) $\quad y = f(x) + c$ $\qquad\qquad\; y' = f'(x)$

(4) $\quad y = c$ $\qquad\qquad\qquad\; y' = 0$

(5) $\quad y = f(x) + F(x) - \varphi(x) \quad y' = f'(x) + F'(x) - \varphi'(x)$

(6) $\quad$ **Kettenregel** $\qquad\qquad \dfrac{dy}{dx} = \dfrac{dy}{dz} \cdot \dfrac{dz}{dx}$

(7) $\quad y = u \cdot v$ $\qquad\qquad\qquad y' = u \cdot v' + v \cdot u'$

(8) $\quad y = \dfrac{u}{v}$ $\qquad\qquad\qquad y' = \dfrac{v \cdot u' - u \cdot v'}{v^2}$

(9) $\quad y = f(x)$; Umkehrfunktion $\; x = \varphi(y)$

$\qquad\qquad\qquad\qquad\qquad f'(x) = \dfrac{1}{\varphi'(y)}$

(10) $\quad \lim\limits_{x \to 0} \dfrac{\sin x}{x} = 1$

(11) $\quad \lim\limits_{x \to 0} \dfrac{1 - \cos x}{x} = 0$

(12) $\quad y = \sin x$ $\qquad\qquad\qquad y' = \cos x$

(13) $\quad y = \cos x$ $\qquad\qquad\qquad y' = -\sin x$

(14) $\quad y = \tan x$ $\qquad\qquad\qquad y' = \dfrac{1}{\cos^2 x} = 1 + \tan^2 x$

(15) $\quad y = \cot x$ $\qquad\qquad\qquad y' = -\dfrac{1}{\sin^2 x} = -(1 + \cot^2 x)$

(16) $\quad y = \text{arc sin } x$ $\qquad\qquad y' = \dfrac{1}{\sqrt{1 - x^2}}$

(17) $\quad y = \text{arc cos } x \qquad\qquad y' = -\dfrac{1}{\sqrt{1-x^2}}$

(18) $\quad y = \text{arc tan } x \qquad\qquad y' = \dfrac{1}{1+x^2}$

(19) $\quad y = \text{arc cot } x \qquad\qquad y' = -\dfrac{1}{1+x^2}$

(20) $\quad y = {}^a\!\log x \qquad\qquad y' = \dfrac{1}{x} \cdot {}^a\!\log e = \dfrac{1}{x \cdot \ln a}$

(21) $\quad y = \ln x \qquad\qquad\quad y' = \dfrac{1}{x}$

(22) $\quad y = a^x \qquad\qquad\quad\; y' = a^x \cdot \dfrac{1}{{}^a\!\log e} = a^x \cdot \ln a$

(23) $\quad y = e^x \qquad\qquad\quad\; y' = e^x$

(24) $\quad {}^a\!\log e \cdot \ln a = 1$

(25) $\quad f(x) + \varphi(y) = 0$ (implizite Funktion)
$$y' = -\frac{f'(x)}{\varphi'(y)}$$

(26) $\quad dy = f'(x) \cdot \varDelta x$

(26a) $\; dy = f'(x) \cdot dx = y' \cdot dx$

(27) $\quad \dfrac{dy}{dx} = f'(x) = y'$ (Differentialquotient)

(28) $\quad \begin{cases} dy = f'(x) \cdot dx \text{ (absoluter Fehler)} \\ \dfrac{dy}{y} = \dfrac{f'(x)}{f(x)} \cdot dx \text{ (relativer Fehler)} \end{cases}$

(29) $\quad F = a \cdot b; \quad \dfrac{dF}{F} \approx \dfrac{da}{a} + \dfrac{db}{b}$

(30) $\quad \varrho = \dfrac{G}{V}; \quad \dfrac{d\varrho}{\varrho} \approx \dfrac{dG}{G} - \dfrac{dV}{V}$

(31) $\quad \begin{cases} y = x^n; \quad \dfrac{dy}{y} \approx n \cdot \dfrac{dx}{x} \\ y = \sqrt[n]{x}; \quad \dfrac{dy}{y} \approx \dfrac{1}{n} \cdot \dfrac{dx}{x} \end{cases}$

$$(32) \quad \begin{cases} \Delta y = f'(\xi) \cdot \Delta x \\ f(x_1) = f(x) + (x_1 - x) \cdot f'(\xi) \\ f(x + h) = f(x) + h \cdot f'(\xi) \end{cases} \text{Mittelwertsatz}$$

(33) Krümmungskreis:

$$\varrho = \frac{(1 + y'^2)^{3/2}}{y''}, \; \xi = x - y' \cdot \frac{1 + y'^2}{y''}, \; \eta = y + \frac{1 + y'^2}{y''}$$

(34) Eine alternierende unendliche Reihe konvergiert, wenn ihre Glieder absolut genommen monoton abnehmen und mit wachsendem n gegen Null streben.

(35) Eine unendliche Reihe konvergiert, wenn von einer bestimmten Stelle an jeder Quotient aus einem Glied und dem vorhergehenden Glied stets kleiner oder höchstens gleich einem angebbaren echten Bruch ist (Cauchy).

$$(36) \; f(x + h) = f(x) + \frac{f'(x)}{1!} \cdot h + \frac{f''(x)}{2!} \cdot h^2 + \frac{f'''(x)}{3!} \cdot h^3 + \cdots$$

(Taylor-Reihe)

$$(37) \quad f(x) = f(0) + \frac{f'(0)}{1!} \cdot x + \frac{f''(0)}{2!} \cdot x^2 + \frac{f'''(0)}{3!} \cdot x^3 + \cdots$$

(MacLaurin-Reihe)

$$(38) \quad \begin{cases} f'(\xi) = 0 \begin{cases} f''(\xi) < 0 : \text{Maximum} \\ f''(\xi) = 0 : \text{Sattelpunkt} \\ f''(\xi) > 0 : \text{Minimum} \end{cases} \\ f'(\xi) \neq 0, \quad f''(\xi) = 0 : \text{Wendepunkt} \end{cases}$$

(39) Newtons Näherungsformel: $x_2 = x_1 - \dfrac{f(x_1)}{f'(x_1)}$

(40) Nimmt $f(x) = \dfrac{\varphi(x)}{\Psi(x)}$ für $x = a$ den unbestimmten Wert $\dfrac{0}{0}$ oder $\dfrac{\infty}{\infty}$ an, so ist $\lim\limits_{x=a} f(x) = \dfrac{\varphi'(a)}{\Psi'(a)}$.

(40a) Nimmt $f(x) = \varphi(x) \cdot \Psi(x)$ für $x = a$ den unbestimmten Wert $0 \cdot \infty$ an, so ist $\lim\limits_{x=a} f(x) = -[\Psi(a)]^2 \cdot \dfrac{\varphi'(a)}{\Psi'(a)}$.

(41) Normale $n = y(1 + y'^2)^{1/2}$

Stichwortverzeichnis

(Die Zahlen beziehen sich auf die Seiten)

Abhängige Veränderliche 22, 54
Ableitung 37, 43
— , äußere 70
— , höhere 91, 116
— , innere 70
— , zweite 91, 124
abnehmende Folge 8
absoluter Betrag 7
— Fehler 86
Achsenkreuz 23
algebraische Zahl 17
alternierende Reihe 10, 110
Arcusfunktion 62
Ast einer Kurve 36
Astroide 144
Asymptote 29, 34
Augenblicksverzinsung 15
ausfüllbare Lücke 32
äußere Ableitung 70

Bedingung, hinreichende, notwendige 112, 127
beliebig klein 8
Berg 23, 120
Berührung, mehrpunktige 92
beschränkte Folge 11
Betrag, absoluter 7
binomischer Satz 148
Bogenmaß 57

CAUCHY 110, 116

d*x*, d*y* 86
Δx, Δy 38
Differential 85
— -quotient 86
Differenzenquotient 38, 42
differenzierbare Funktion 43
Differenzieren, logarithmisch 74
— , Regeln 43 ff.
divergente Folge 11
Division durch Null 41

e 15, 66
Einheitskreis 57
Einteilung der Funktionen 149
einwertige Funktion 25, 35, 67
Ellipse 101, 106
entwickelte Funktion 72
Enveloppe 143
EULER-Zahl 15, 66
Evolute 104
explizite Funktion 72
Exponent, s. Hochzahl
Exponentialfunktion 65, 69

Faktor, konstanter 47
Fakultät 15
Fehler, absoluter 86
— -rechnung 84
— , relativer 86
Folge 7
— , abnehmende 8
— , beschränkte 11
— , divergente 11
— , Glied einer 7
— , konvergente 11
— , zunehmende 8
Formeln 150
Funktion 22
— , differenzierbare 43
— einer Funktion 49
— , Einteilung der 149
— , einwertige 25, 35, 67
— , entwickelte 72
— , explizite 72
— , ganze 25, 27
— , gebrochene 25, 30
— , gerade 23
— , Grad einer 25
— , implizite 72
— , irrationale 35
— , kubische 22
— , lineare 22
— , mehrwertige 55
— , mittelbare 49
— , periodische 57

Funktion, quadratische 22, 39
— , rationale 25
— , transzendente 65, 67
— , trigonometrische 57
— , unentwickelte 72
— , ungerade 23
— , zweiwertige 26, 35, 55
— , zyklometrische 62
$f(x)$ 22

Ganze Funktion 27
gebrochene Funktion 25, 28
Geltungsbereich 24
Gerade 22
gerade Funktion 23
Geschoßbahn 146
Glied einer Folge 7
Grad einer Funktion 25
Grenzlage 40
Grenzübergang 41
Grenzwert 7, 10, 17, 20, 42, 60
— , Sätze über 17

Harmonische Reihe 110
Häufungspunkt 9
Hauptwert 63
hebbare Unstetigkeit 32, 137
HERMITE 17
hinreichende Bedingung 112, 127
Hochwert 120
Hochzahl, gebrochene 45
— , negative 44
— , positive 43
höhere Ableitung 91, 116
HORNER-Schema 22, 132
Hyperbel 25, 35, 103, 106

Implizite Funktion 72
Index 7
Induktion, vollständige 13, 148
innere Ableitung 70
Intervall 9, 28
— -grenze 27
irrationale Funktion 22, 27, 35

Katakaustik 101
Kettenfunktion 49
— -regel 49, 70

Koeffizient, unbestimmter 119
Konstante 48
konstanter Faktor 47
— Summand 48
konvergente Folge 11
Konvergenz 15, 110
— -bereich 114
Korrektionsglied 109
Kreis 18
Krümmungskreis 97
kubische Funktion 22
— Parabel 22, 121
Kugelspiegel 99
Kurve 22
— ~ -ast 29, 36
— , Näherungs- 36
— ~ -schar 143
— , Sinus- 104
— ~ -stück 85, 122

LAGRANGE 119
Limes 10, 20, 42, 60
LINDEMANN 17
lineare Funktion 22
Logarithmen, natürliche 66, 68
logarithm. Differenzieren 74
Logarithmusfunktion 65
Lücke 32

MACLAURIN 94, 119
Maßstabsänderung 27
Maximum 120
mehrpunktige Berührung 92
mehrwertige Funktion 55
Meßgenauigkeit 84
Minimum 120
mittelbare Funktion 49
Mittelwertsatz 90, 119
monoton 7, 55, 67

Näherungskurve 36
— -parabel 94
— -verfahren 131
natürliche Logarithmen 66, 68
NEILsche Parabel 105
NEWTON 130
Normale 142
notwendige Bedingung 112, 127

Null, Division durch 41
— -folge 8
— -stelle 24, 36, 131

Ordnung 30, 91, 128

Parabel 22, 38, 98, 143, 147
— , kubische 23, 121
— , Näherungs- 94
— , NEILsche 105
— , Sicherheits- 146
— , Wende- 24, 43
Parabolspiegel 99
π 18
Partialbruchzerlegung 149
periodische Funktion 57
Pol 29
Polynom 25
Potenzregel 43
— -reihe 107, 110
Produktregel 51
Punktfolge 9
— -symmetrie 23
— , Verzweigungs- 26
— , Wende- 124
Pyramide 20

Quadratische Funktion 22, 39
— Restgleichung 133
Quotientenregel 52

Rationale Funktion 25
Reflexion 99
Regel, Ketten- 49, 70
— , Potenz- 43
— , Produkt- 51
— , Quotienten- 52
— , Summen- 49
Regeln 150
Reihe 12
— , alternierende 10, 110
— , harmonische 110
— , Potenz- 107, 110
— , unendliche 12, 110
— , Vergleichs- 16
relativer Fehler 86
Restgleichung 134
— -glied 13, 16, 110, 119

Sätze über das Rechnen mit
  Grenzwerten 17
Schachtelfunktion 49
Sattelpunkt 126
Sekante(nsteigung) 40
Sicherheitsparabel 146
Sinuskurve 104
Spiegelfunktion 54, 62
Sprung 33
Stammfunktion 54, 63
Steigung 37, 123
Stetigkeit 27, 57, 114
Summand, konstanter 48
Summe, Teil- 12
— ~ -regel 49
Symmetrie 24
— , Punkt- 24
— , Zentral- 24

Tal 23, 120
Tangente 38
TAYLOR 95, 117, 127
Teilfunktion 49
Teilsumme 12
Tiefwert 120
transzendente Funktion 65, 67
— Zahl 17
Treppenkörper 21
trigonometrische Funktion 57

Übungsaufgaben 75 ff.
Umkehrfunktion 54, 63
unabhängige Veränderliche 22,
  54
unbestimmter Ausdruck 137
— Koeffizient 119
unendlich (∞) 12
— ~ Reihe 12, 109
unentwickelte Funktion 72
ungerade Funktion 23
Unstetigkeit 29, 35, 58
— , hebbare 32, 137

Veränderliche, (un)abhängige
  22, 54
Vergleichsreihe 16
Verzinsung 14
Verzweigungspunkt 26

VIETA-Probe 133
vollständige Induktion 13, 148

Wachstum, stetiges 15
WEIERSTRASS 11
Wendeparabel 24
— -punkt 124
— -tangente 124
Wert, Haupt- 63
— ~ -tabelle 22
Wertigkeit 36, 63

Zahl, algebraische 17
— , EULERsche 15, 66
— , transzendente 17, 67
Zahlenfolge 7
— -strahl 10
Zentralsymmetrie 23
zunehmende Folge 8
zweite Ableitung 91, 124
zweiwertige Funktion 26, 35, 55
zyklometrische Funktion 62

MENTOR-REPETITORIEN

Sie bieten eine klar gegliederte Zusammenfassung der betreffenden Wissensgebiete. Instruktive Beispiele und Aufgaben, einfache Lösungswege und Lösungen helfen dem Lernenden, sein Wissen zu festigen und zu vertiefen.

Mathematik

MR 1 Rechnen I
MR 2 Rechnen II
MR 3 Rechnen III
MR 5 Geometrie der Ebene I
MR 6 Geometrie der Ebene II
MR 7 Geometrie der Ebene III
MR 13 Ebene Trigonometrie I
MR 14 Ebene Trigonometrie II
MR 22 Algebra I
MR 23 Algebra II
MR 24 Algebra III
MR 26 Analytische Geometrie I
MR 27 Analytische Geometrie II
MR 28 Mathemat. Übungsaufgaben mit einer Unbekannten
MR 29 Mathemat. Übungsaufgaben mit mehreren Unbekannten und Gleichungen höheren Grades
MR 33 Differentialrechnung I
MR 34 Differentialrechnung II
MR 35 Integralrechnung I
MR 36 Integralrechnung II
MR 39 Mathematische Formeln

Physik

MR 40 Physik I
MR 41 Physik II
MR 42 Physik III

Chemie

MR 45 Allgemeine Chemie
MR 46 Anorganische Chemie
MR 47 Organische Chemie I
MR 48 Organische Chemie II

Fremdsprachen

MR 60 Englisch I
MR 61 Englisch II
MR 66 Französisch I
MR 67 Französisch II
MR 70 Lateinisch

Deutsch

MR 81 Wegweiser zum richtigen Deutsch
MR 83 Deutscher Aufsatz I
MR 84 Deutscher Aufsatz II
MR 85 Deutscher Aufsatz III

Die Reihe der Mentor-Repetitorien wird fortgesetzt.
Jeder Band: Format 12,5 × 19 cm.

Sie erhalten
die praktischen Mentor-Repetitorien bei Ihrem Buchhändler.